Agosto 200

Con a

(Manuela, Dante, Vale y Santi

la
creación literaria

imágenes y palabras de

eduardo galeano

EL LIBRO DE LOS ABRAZOS

CATáLOGOS

Galeano, Eduardo
El libro de los abrazos / Eduardo Galeano ; ilustrado por Eduardo Galeano - 1a ed. 18a reimp. - Buenos Aires : Catálogos, 2007.
280 p. : il. ; 21x15 cm. (Literatura)

ISBN 978-950-895-089-5

1. Narrativa Uruguaya. I. Eduardo Galeano, ilus. II. Título
CDD U863

Grabados, carátula y diseño interior:
Eduardo Galeano
Diagramación de tapa:
Alejandro y Sebastián García

Av. Independencia 1860
1225 - Buenos Aires - Argentina
Telefax 5411 4381-5708 / 5878 / 4462
www.catalogosedit.com.ar

Primera edición argentina, 1989
Decimoctava reimpresión argentina, 2007

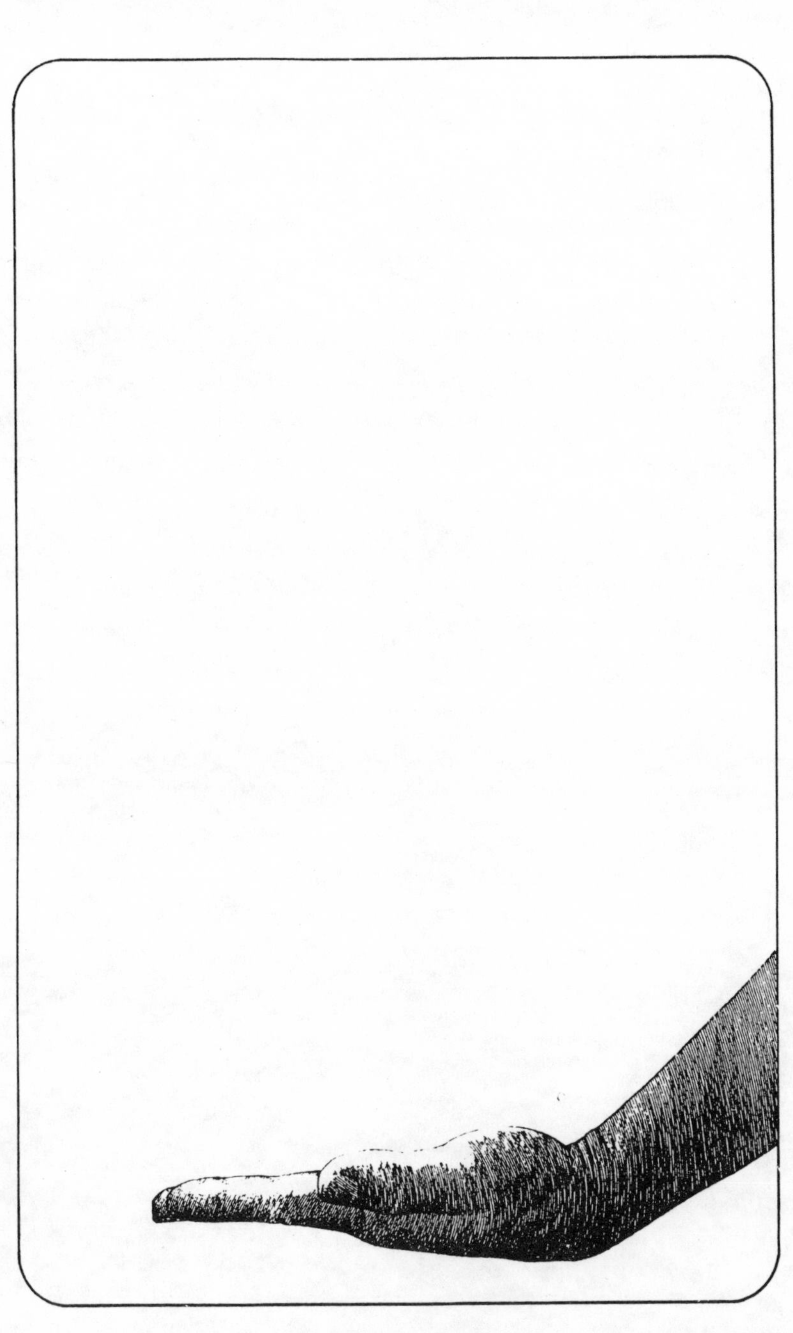

ESTE libro está dedicado
a Claribel y Bud,
a Pilar y Antonio,
a Martha y Eriquinho.

RECORDAR: Del latín *re-cordis*, volver a pasar por el corazón.

El mundo

UN hombre del pueblo de Neguá, en la costa de Colombia, pudo subir al alto cielo.

A la vuelta, contó. Dijo que había contemplado, desde allá arriba, la vida humana. Y dijo que somos un mar de fueguitos.

—*El mundo es eso* —reveló—. *Un montón de gente, un mar de fueguitos.*

Cada persona brilla con luz propia entre todas las demás. No hay dos fuegos iguales. Hay fuegos grandes y fuegos chicos y fuegos de todos los colores. Hay gente de fuego sereno, que ni se entera del viento, y gente de fuego loco, que llena el aire de chispas. Algunos fuegos, fuegos bobos, no alumbran ni queman; pero otros arden la vida con tantas ganas que no se puede mirarlos sin parpadear, y quien se acerca, se enciende.

2

El origen del mundo

HACÍA pocos años que había terminado la guerra de España y la cruz y la espada reinaban sobre las ruinas de la República. Uno de los vencidos, un obrero anarquista, recién salido de la cárcel, buscaba trabajo. En vano revolvía cielo y tierra. No había trabajo para un rojo. Todos le ponían mala cara, se encogían de hombros o le daban la espalda. Con nadie se entendía, nadie lo escuchaba. El vino era el único amigo que le quedaba. Por las noches, ante los platos vacíos, soportaba sin decir nada los reproches de su esposa beata, mujer de misa diaria, mientras el hijo, un niño pequeño, le recitaba el catecismo.

Mucho tiempo después, Josep Verdura, el hijo de aquel obrero maldito, me lo contó. Me lo contó en Barcelona, cuando yo llegué al exilio. Me lo contó: él era un niño desesperado que quería salvar a su padre de la condenación eterna y el muy ateo, el muy tozudo, no entendía razones.

—*Pero papá* —le dijo Josep, llorando—. *Si Dios no existe, ¿quién hizo el mundo?*

—*Tonto* —dijo el obrero, cabizbajo, casi en secreto—. *Tonto. Al mundo lo hicimos nosotros, los albañiles.*

La función del arte/1

DIEGO no conocía la mar. El padre, Santiago Kovadloff, lo llevó a descubrirla.

Viajaron al sur.

Ella, la mar, estaba más allá de los altos médanos, esperando.

Cuando el niño y su padre alcanzaron por fin aquellas cumbres de arena, después de mucho caminar, la mar estalló ante sus ojos. Y fue tanta la inmensidad de la mar, y tanto su fulgor, que el niño quedó mudo de hermosura.

Y cuando por fin consiguió hablar, temblando, tartamudeando, pidió a su padre:

—*¡Ayudame a mirar!*

La uva y el vino

UN hombre de las viñas habló, en agonía, al oído de Marcela. Antes de morir, le reveló su secreto:

—*La uva* —le susurró— *está hecha de vino.*

Marcela Pérez-Silva me lo contó, y yo pensé: Si la uva está hecha de vino, quizá nosotros somos las palabras que cuentan lo que somos.

La pasión de decir/1

MARCELA estuvo en las nieves del Norte. En Oslo, una noche, conoció a una mujer que canta y cuenta. Entre canción y canción, esa mujer cuenta buenas historias, y las cuenta vichando papelitos, como quien lee la suerte de soslayo.

Esa mujer de Oslo viste una falda inmensa, toda llena de bolsillos. De los bolsillos va sacando papelitos, uno por uno, y en cada papelito hay una buena historia para contar, una historia de fundación y fundamento, y en cada historia hay gente que quiere volver a vivir por arte de brujería. Y así ella va resucitando a los olvidados y a los muertos; y de las profundidades de esa falda van brotando los andares y los amares del bicho humano, que viviendo, que diciendo va.

La pasión de decir/2

ESE hombre, o mujer, está embarazado de mucha gente. La gente se le sale por los poros. Así lo muestran, en figuras de barro, los indios de Nuevo México: el narrador, el que cuenta la memoria colectiva, está todo brotado de personitas.

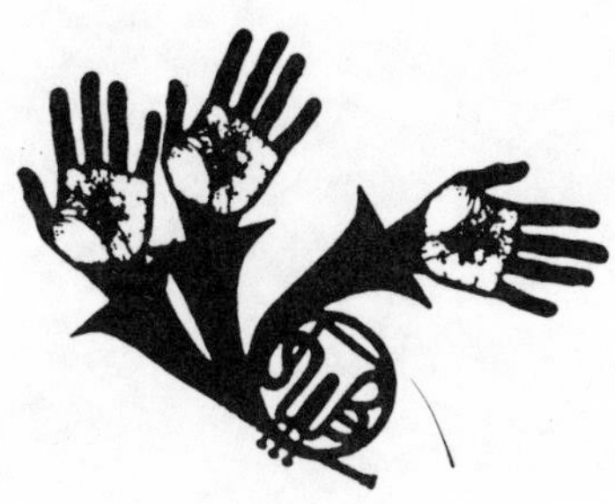

La casa de las palabras

A la casa de las palabras, soñó Helena Villagra, acudían los poetas. Las palabras, guardadas en viejos frascos de cristal, esperaban a los poetas y se les ofrecían, locas de ganas de ser elegidas: ellas rogaban a los poetas que las miraran, que las olieran, que las tocaran, que las lamieran. Los poetas abrían los frascos, probaban palabras con el dedo y entonces se relamían o fruncían la nariz. Los poetas andaban en busca de palabras que no conocían, y también buscaban palabras que conocían y habían perdido.

En la casa de las palabras había una mesa de los colores. En grandes fuentes se ofrecían los colores y cada poeta se servía del color que le hacía falta: amarillo limón o amarillo sol, azul de mar o de humo, rojo lacre, rojo sangre, rojo vino...

La función del lector/1

CUANDO Lucía Peláez era muy niña, leyó una novela a escondidas. La leyó a pedacitos, noche tras noche, ocultándola bajo la almohada. Ella la había robado de la biblioteca de cedro donde el tío guardaba sus libros preferidos.

Mucho caminó Lucía, después, mientras pasaban los años. En busca de fantasmas caminó por los farallones sobre el río Antioquia, y en busca de gente caminó por las calles de las ciudades violentas.

Mucho caminó Lucía, y a lo largo de su viaje iba siempre acompañada por los ecos de los ecos de aquellas lejanas voces que ella había escuchado, con sus ojos, en la infancia.

Lucía no ha vuelto a leer ese libro. Ya no lo reconocería. Tanto le ha crecido adentro que ahora es otro, ahora es suyo.

La función del lector/2

ERA el medio siglo de la muerte de César Vallejo, y hubo celebraciones. En España, Julio Vélez organizó conferencias, seminarios, ediciones y una exposición que ofrecía imágenes del poeta, su tierra, su tiempo y su gente.

Pero en esos días Julio Vélez conoció a José Manuel Castañón; y entonces todo homenaje le resultó enano.

José Manuel Castañón había sido capitán en la guerra española. Peleando por Franco había perdido una mano y había ganado algunas medallas.

Una noche, poco después de la guerra, el capitán descubrió, por casualidad, un libro prohibido. Se asomó, leyó un verso, leyó dos versos, y ya no pudo desprenderse. El capitán Castañón, héroe del ejército vencedor, pasó toda la noche en vela, atrapado, leyendo y releyendo a César Vallejo, poeta de los vencidos. Y al amanecer de esa noche, renunció al ejército y se negó a cobrar ni una peseta más del gobierno de Franco.

Después, lo metieron preso; y se fue al exilio.

Celebración de la voz humana/1

LOS indios shuar, los llamados jíbaros, cortan la cabeza del vencido. La cortan y la reducen, hasta que cabe en un puño, para que el vencido no resucite. Pero el vencido no está del todo vencido hasta que le cierran la boca. Por eso le cosen los labios con una fibra que jamás se pudre.

Celebración de la voz humana/2

TENÍAN las manos atadas, o esposadas, y sin embargo los dedos danzaban, volaban, dibujaban palabras. Los presos estaban encapuchados; pero inclinándose alcanzaban a ver algo, alguito, por abajo. Aunque hablar estaba prohibido, ellos conversaban con las manos.

Pinio Ungerfeld me enseñó el alfabeto de los dedos, que en prisión aprendió sin profesor:

—*Algunos teníamos mala letra*— me dijo—. *Otros eran unos artistas de la caligrafía.*

La dictadura uruguaya quería que cada uno fuera nada más que uno, que cada uno fuera nadie: en cárceles y cuarteles, y en todo el país, la comunicación era delito.

Algunos presos pasaron más de diez años enterrados en solitarios calabozos del tamaño de un ataúd, sin escuchar más voces que el estrépito de las rejas o los pasos de las botas por los corredores. Fernández Huidobro y Mauricio Rosencof, condenados a esa soledad, se salvaron porque pudieron hablarse, con golpecitos, a través de la pared. Así se contaban sueños y recuerdos, amores y desamores; discutían, se abrazaban, se peleaban; compartían certezas y bellezas y también compartían dudas y culpas y preguntas de esas que no tienen respuesta.

Cuando es verdadera, cuando nace de la necesidad de decir, a la voz humana no hay quien la pare. Si le niegan la boca, ella habla por las manos, o por los ojos, o por los poros, o por donde sea. Porque todos, toditos, tenemos algo que decir a los demás, alguna cosa que merece ser por los demás celebrada o perdonada.

Definición del arte

P*ORTINARI no está* —decía Portinari. Por un instante asomaba la nariz, daba un portazo y desaparecía.

Eran los años treinta, años de cacería de rojos en Brasil, y Portinari se había exiliado en Montevideo.

Iván Kmaid no era de esos años, ni de ese lugar; pero mucho después, él se asomó por los agujeritos de la cortina del tiempo y me contó lo que vio:

Cándido Portinari pintaba de la mañana a la noche, y de noche también.

—*Portinari no está*— decía.

En aquel entonces, los intelectuales comunistas del Uruguay iban a tomar posición ante el realismo socialista y pedían la opinión del prestigioso camarada.

—*Sabemos que usted no está, maestro* —le dijeron, y le suplicaron:

—*Pero, ¿no nos permitiría un momento? Un momentito.*

Y le plantearon el asunto.

—*Yo no sé*— dijo Portinari.

Y dijo:

—*Lo único que yo sé, es esto: el arte es arte, o es mierda.*

El lenguaje del arte

EL Chinolope vendía diarios y lustraba zapatos en La Habana. Para salir de pobre, se marchó a Nueva York.

Allá, alguien le regaló una vieja cámara de fotos. El Chinolope nunca había tenido una cámara en las manos, pero le dijeron que era fácil:

—*Tú miras por aquí y aprietas allí.*

Y se echó a las calles. Y a poco andar escuchó balazos y se metió en una barbería y alzó la cámara y miró por aquí y apretó allí.

En la barbería habían acribillado al gangster Joe Anastasia, que se estaba afeitando, y esa fue la primera foto de la vida profesional del Chinolope.

Se la pagaron una fortuna. Esa foto era una hazaña. El Chinolope había logrado fotografiar a la muerte. La muerte estaba allí: no en el muerto, ni en el matador. La muerte estaba en la cara del barbero que la vio.

La frontera del arte

FUE la batalla más larga de cuantas se pelearon en Tuscatlán o en cualquier otra región de El Salvador. Empezó a la medianoche, cuando las primeras granadas cayeron desde la loma, y duró toda la noche y hasta la tarde del día siguiente. Los militares decían que Cinquera era inexpugnable. Cuatro veces la habían asaltado los guerrilleros, y cuatro veces habían fracasado. La quinta vez, cuando se alzó la bandera blanca en el mástil de la comandancia, los tiros al aire empezaron los festejos.

Julio Ama, que peleaba y fotografiaba la guerra, andaba caminando por las calles. Llevaba su fusil en la mano y la cámara, también cargada y lista para disparar, colgada del cuello. Andaba Julio por las calles polvorientas, en busca de los hermanos gemelos. Esos gemelos eran los únicos sobrevivientes de una aldea exterminada por el ejército. Tenían dieciséis años. Les gustaba combatir junto a Julio; y en las entreguerras, él les enseñaba a leer y a fotografiar. En el torbellino de esta batalla, Julio había perdido a los gemelos, y ahora no los veía entre los vivos ni entre los muertos.

Caminó a través del parque. En la esquina de la iglesia,

se metió en un callejón. Y entonces, por fin, los encontró. Uno de los gemelos estaba sentado en el suelo, de espaldas contra un muro. Sobre sus rodillas, yacía el otro, bañado en sangre; y a los pies, en cruz, estaban los dos fusiles.

Julio se acercó, quizá dijo algo. El gemelo que vivía no dijo nada, ni se movió: estaba allí, pero no estaba. Sus ojos, que no pestañeaban, miraban sin ver, perdidos en alguna parte, en ninguna parte; y en esa cara sin lágrimas estaba toda la guerra y estaba todo el dolor.

Julio dejó su fusil en el suelo y empuñó la cámara. Corrió la película, calculó en un santiamén la luz y la distancia y puso en foco la imagen. Los hermanos estaban en el centro del visor, inmóviles, perfectamente recortados contra el muro recién mordido por las balas.

Julio iba a tomar la foto de su vida, pero el dedo no quiso. Julio lo intentó, volvió a intentarlo, y el dedo no quiso. Entonces bajó la cámara, sin apretar el disparador, y se retiró en silencio.

La cámara, una Minolta, murió en otra batalla, ahogada en lluvia, un año después.

La función del arte/2

EL pastor Miguel Brun me contó que hace algunos años estuvo con los indios del Chaco paraguayo. Él formaba parte de una misión evangelizadora. Los misioneros visitaron a un cacique que tenía prestigio de muy sabio. El cacique, un gordo quieto y callado, escuchó sin pestañear la propaganda religiosa que le leyeron en lengua de los indios. Cuando la lectura terminó, los misioneros se quedaron esperando.

El cacique se tomó su tiempo. Después, opinó:

—*Eso rasca. Y rasca mucho, y rasca muy bien.*

Y sentenció:

—*Pero rasca donde no pica.*

Profecías/1

EN el Perú, una maga me cubrió de rosas rojas y después me leyó la suerte. La maga me anunció:

—*Dentro de un mes, recibirás una distinción.*

Yo me reí. Me reí por la infinita bondad de esa mujer desconocida, que me regalaba flores y augurios de éxito, y me reí por la palabra distinción, que tiene no sé qué de cómica, y porque me vino a la cabeza un viejo amigo del barrio, que era muy bruto pero certero, y que solía decir, sentenciando, levantando el dedito: «A la corta o a la larga, los escritores se hamburguesan.» Así que me reí; y la maga se rió de mi risa.

Un mes después, exactamente un mes después, recibí en Montevideo un telegrama. En Chile, decía el telegrama, me habían otorgado *una distinción.* Era el premio José Carrasco.

Celebración de la voz humana/3

JOSÉ Carrasco era un periodista de la revista *Análisis*. Una madrugada, en la primavera de 1986, lo arrancaron de su casa. Pocas horas antes había ocurrido el atentado contra el general Augusto Pinochet. Y pocos días antes, el dictador había dicho:

—*A ciertos señores los tenemos en engorde.*

Al pie de un muro, en las orillas de Santiago, le metieron catorce balazos en la cabeza. Fue al amanecer, y nadie se asomó. El cuerpo estuvo allí, tirado, hasta el mediodía.

Los vecinos nunca lavaron la sangre. El lugar se convirtió en santuario del pobrerío, siempre cubierto de velas y flores, y José Carrasco se hizo ánima milagrera. En el muro, mordido por los tiros, se leen las gracias por los favores recibidos.

A principios de 1988, viajé a Chile. Hacía quince años que no iba. Me recibió, en el aeropuerto, Juan Pablo Cárdenas, el director de *Análisis*.

Condenado por agravios al poder, Cárdenas dormía en la cárcel. Todas las noches, a las diez en punto, entraba en prisión, y salía con el sol.

Crónica de la ciudad de Santiago

SANTIAGO de Chile muestra, como otras ciudades latinoamericanas, una imagen resplandeciente. A menos de un dólar por día, legiones de obreros le lustran la máscara.

En los barrios altos, se vive como en Miami, se vive en Miami, se miamiza la vida, ropa de plástico, comida de plástico, gente de plástico, mientras los vídeos y las computadoras se convierten en las perfectas contraseñas de la felicidad.

Pero cada vez son menos estos chilenos, y cada vez son más los otros chilenos, los subchilenos: la economía los maldice, la policía los corre y la cultura los niega.

Unos cuantos se hacen mendigos. Burlando las prohibiciones, se las arreglan para asomar bajo el semáforo rojo o en cualquier portal. Hay mendigos de todos los tamaños y colores, enteros y mutilados, sinceros y simulados: algunos en la desesperación total, caminando a la orilla de la locura, y otros luciendo caras retorcidas y manos tembleques por obra de mucho ensayo, profesionales admirables, verdaderos artistas del buen pedir.

En plena dictadura militar, el mejor de los mendigos chilenos era uno que conmovía diciendo:

—*Soy civil.*

Neruda/1

ESTUVE en Isla Negra, en la casa que fue, que es, de Pablo Neruda.

Estaba prohibida la entrada. Una empalizada de madera rodeaba la casa. Allí, la gente había grabado sus mensajes al poeta. No habían dejado ni un pedacito de madera sin cubrir. Todos le hablaban como si estuviera vivo. Con lápices o puntas de clavos, cada cual había encontrado su manera de decirle: gracias.

Yo también encontré, sin palabras, mi manera. Y entré sin entrar. Y en silencio estuvimos conversando vinos, el poeta y yo, calladamente hablando de mares y de amares y de alguna pócima infalible contra la calvicie. Compartimos unos camarones al pil-pil y un prodigioso pastel de jaibas y otras maravillas de esas que alegran el alma y la barriga, que son, como él bien sabe, dos nombres de la misma cosa.

Varias veces alzamos nuestros vasos de buen vino, y un viento salado nos golpeaba la cara, y todo fue una ceremonia de maldición de la dictadura, aquella lanza negra clavada en su costado, aquel dolor de la gran puta, y todo fue también una ceremonia de celebración de la vida, bella y efímera como los altares de flores y los amores de paso.

Neruda/2

OCURRIÓ en La Sebastiana, otra casa de Neruda, recostada en la montaña, sobre la bahía de Valparaíso. La casa estaba cerrada a cal y canto, con tranca y candado y bajo siete llaves, habitada por nadie, desde hacía mucho tiempo.

Ya los militares habían usurpado el poder, ya había corrido la sangre por las calles, ya Neruda había muerto de cáncer o de pena. Entonces unos ruidos raros, en el interior de la casa clausurada, llamaron la atención de los vecinos. Alguien se asomó, por una alta ventana, y vio los ojos brillantes y las garras en ataque de un águila inexplicable. El águila no podía estar allí, no podía haber entrado, no tenía por dónde, pero adentro estaba; y adentro daba violentos aletazos.

Profecías/2

HELENA soñó con las que habían guardado el fuego. Lo habían guardado las viejas, las viejas muy pobres, en las cocinas de los suburbios; y para ofrecerlo les bastaba con soplarse, suavecito, la palma de la mano.

Celebración de la fantasía

FUE a la entrada del pueblo de Ollantaytambo, cerca del Cuzco. Yo me había desprendido de un grupo de turistas y estaba solo, mirando de lejos las ruinas de piedra, cuando un niño del lugar, enclenque, haraposo, se acercó a pedirme que le regalara una lapicera. No podía darle la lapicera que tenía, porque la estaba usando en no sé qué aburridas anotaciones, pero le ofrecí dibujarle un cerdito en la mano.

Súbitamente, se corrió la voz. De buenas a primeras me encontré rodeado de un enjambre de niños que exigían, a grito pelado, que yo les dibujara bichos en sus manitos cuarteadas de mugre y frío, pieles de cuero quemado: había quien quería un cóndor y quién una serpiente, otros preferían loritos o lechuzas, y no faltaban los que pedían un fantasma o un dragón.

Y entonces, en medio de aquel alboroto, un desamparadito que no alzaba más de un metro del suelo, me mostró un reloj dibujado con tinta negra en su muñeca:

—*Me lo mandó un tío mío, que vive en Lima* —dijo.

—*¿Y anda bien?* —le pregunté.

—*Atrasa un poco* —reconoció.

El arte para los niños

ELLA estaba sentada en una silla alta, ante un plato de sopa que le llegaba a la altura de los ojos. Tenía la nariz fruncida y los dientes apretados y los brazos cruzados. La madre pidió auxilio:

—*Cuéntale un cuento, Onelio* —pidió—. *Cuéntale, tú que eres escritor.*

Y Onelio Jorge Cardoso, esgrimiendo una cucharada de sopa, comenzó su relato:

—*Había una vez una pajarita que no quería comer la comidita. La pajarita tenía el piquito cerradito, cerradito, y la mamita le decía: «Te vas a quedar enanita, pajarita, si no comes la comidita.» Pero la pajarita no hacía caso a la mamita y no abría su piquito...*

Y entonces la niña lo interrumpió:

—*Qué pajarita de mierdita* —opinó.

El arte desde los niños

MARIO Montenegro canta los cuentos que sus hijos le cuentan.

Él se sienta en el suelo, con su guitarra, rodeado por un círculo de hijos, y esos niños o conejos le cuentan la historia de los setenta conejos que se subieron uno encima del otro para poder besar a la jirafa, o le cuentan la historia del conejo azul que estaba solo en medio del cielo: una estrella se llevó al conejo azul a pasear por el cielo, y visitaron la luna, que es un gran país blanco y redondo y todo lleno de agujeros, y anduvieron girando por el espacio, y brincaron sobre las nubes de algodón, y después la estrella se cansó y se volvió al país de las estrellas, y el conejo se volvió al país de los conejos, y allí comió maíz y cagó y se fue a dormir y soñó que era un conejo azul que estaba solo en medio del cielo.

Los sueños de Helena

AQUELLA noche hacían cola los sueños, queriendo ser soñados, pero Helena no podía soñarlos a todos, no había manera. Uno de los sueños, desconocido, se recomendaba:

—*Suéñeme, que le conviene. Suéñeme, que le va a gustar.*

Hacían la cola unos cuantos sueños nuevos, jamás soñados, pero Helena reconocía al sueño bobo, que siempre volvía, ese pesado, y a otros sueños cómicos o sombríos que eran viejos conocidos de sus noches de mucho volar.

Viaje al país de los sueños

HELENA acudía, en carro de caballos, al país donde se sueñan los sueños. A su lado, también sentada en el pescante, iba la perrita Pepa Lumpen. Pepa llevaba, bajo el brazo, una gallina que iba a trabajar en su sueño. Helena traía un inmenso baúl lleno de máscaras y trapos de colores.

Estaba el camino muy lleno de gente. Todos marchaban hacia el país de los sueños, y hacían mucho lío y metían mucho ruido ensayando los sueños que iban a soñar, así que Pepa andaba refunfuñando, porque no la dejaban concentrarse como es debido.

El país de los sueños

ERA un inmenso campamento al aire libre.

De las galeras de los magos brotaban lechugas cantoras y ajíes luminosos, y por todas partes había gente ofreciendo sueños en canje. Había quien quería cambiar un sueño de viajes por un sueño de amores, y había quien ofrecía un sueño para reír en trueque por un sueño para llorar un llanto bien gustoso.

Un señor andaba por ahí buscando los pedacitos de su sueño, desbaratado por culpa de alguien que se lo había llevado por delante: el señor iba recogiendo los pedacitos y los pegaba y con ellos hacía un estandarte de colores.

El aguatero de los sueños llevaba agua a quienes sentían sed mientras dormían. Llevaba el agua a la espalda, en una vasija, y la brindaba en altas copas.

Sobre una torre había una mujer, de túnica blanca, peinándose la cabellera, que le llegaba a los pies. El peine desprendía sueños, con todos sus personajes: los sueños salían del pelo y se iban al aire.

Los sueños olvidados

HELENA soñó que se dejaba los sueños olvidados en una isla.

Claribel Alegría recogía los sueños, los ataba con una cinta y los guardaba bien guardados. Pero los niños de la casa descubrían el escondite y querían ponerse los sueños de Helena, y Claribel, enojada, les decía:

—*Eso no se toca.*

Entonces Claribel llamaba a Helena por teléfono y le preguntaba:

—*¿Qué hago con tus sueños?*

El adiós de los sueños

LOS sueños se marchaban de viaje. Helena iba hasta la estación del ferrocarril. Desde el andén, les decía adiós con un pañuelo.

Celebración de la realidad

SI la tía de Dámaso Murúa hubiera contado su historia a García Márquez, quizá la *Crónica de una muerte anunciada* hubiera tenido otro final.

Susana Contreras, que así se llama la tía de Dámaso, tuvo en sus buenos tiempos el culo más incendiario de cuantos se hayan visto llamear en el pueblo de Escuinapa y en todas las comarcas del golfo de California.

Hace muchos años, Susana se casó con uno de los numerosos galanes que sucumbieron a sus meneos. En la noche de bodas, el marido descubrió que ella no era virgen. Entonces se desprendió de la ardiente Susana como si contagiara la peste, dio un portazo y se marchó para siempre.

El despechado se metió a beber en las cantinas, donde los invitados de su fiesta estaban siguiendo la juerga. Abrazado a sus amigotes, él se puso a mascullar rencores y a proferir amenazas, pero nadie se tomaba en serio su tormento cruel. Con benevolencia lo escuchaban, mientras él se tragaba a lo macho las lágrimas que a borbotones pujaban por salir, pero después le decían que chocolate por la noticia, que claro que Susana no era virgen, que todo el pueblo lo sabía menos él, y que al fin y al cabo ése era un detalle que no tenía la menor importancia, y que no seas pendejo, mano, que nomás se vive una vez. Él insistía, y en lugar de gestos de solidaridad recibía bostezos.

Y así fue avanzando la noche, a los tumbos, en triste bebedera cada vez más solitaria, hacia el amanecer. Uno tras otro, los invitados se fueron yendo a dormir. El alba encontró al ofendido sentado en la calle, completamente solo y bastante fatigado de tanto quejarse sin que nadie le llevara el apunte.

Ya el hombre estaba aburriéndose de su propia tragedia, y las primeras luces le desvanecieron las ganas de sufrir y de vengarse. A media mañana se dio un buen baño y se tomó un café bien caliente y al mediodía volvió, arrepentido, a los brazos de la repudiada.

Volvió desfilando, a paso de gran ceremonia, desde la otra punta de la calle principal. Iba cargando un enorme ramo de rosas, y encabezaba una larga procesión de amigos, parientes y público en general. La orquesta de serenatas cerraba la marcha. La orquesta sonaba a todo dar, tocando para Susana, a modo de desagravio, *La negra consentida* y *Vereda tropical.* Con esas musiquitas, tiempo atrás, él se le había declarado.

El arte y la realidad/1

FERNANDO Birri iba a filmar el cuento del ángel, de García Márquez, y me llevó a ver los escenarios. En la costa cubana, Fernando había fundado un pueblito de cartón y lo había llenado de gallinas, de cangrejos gigantes y de actores. Él iba a hacer el papel principal, el papel del ángel desplumado que cae a tierra y queda encerrado en un gallinero.

Marcial, un pescador de por allí, había sido solemnemente designado Alcalde Mayor de aquel pueblo de película. Después de la formal bienvenida, Marcial nos acompañó.

Fernando quería mostrarme una obra maestra del envejecimiento artificial: una jaula destartalada, leprosa, mordida por el óxido y la mugre antigua. Esa iba a ser la prisión del ángel, después de su fuga del gallinero. Pero en lugar de aquel escracho sabiamente arruinado por los especialistas, encontramos una jaula limpia y bien plantada, con sus barrotes perfectamente alineados y recién pintados de color oro. Marcial se hinchó de orgullo al mostrarnos esta preciosidad. Fernando, mitad atónito, mitad furioso, casi se lo come crudo:

—*¿Qué es esto, Marcial? ¿Qué es esto?*

Marcial tragó saliva, se puso colorado, agachó la cabeza y se rascó la barriga. Entonces confesó:

—*Yo no podía permitirlo. Yo no podía permitir que metieran en aquella jaula cochina a un hombre bueno como usted.*

El arte y la realidad/2

ERACLIO Zepeda hizo el papel de Pancho Villa en *México insurgente,* la película de Paul Leduc, y lo hizo tan bien que desde entonces hay quien cree que Eraclio Zepeda es el nombre que Pancho Villa usa para trabajar en cine.

Estaban en plena filmación de esa película, en un pueblito cualquiera, y la gente participaba en todo lo que ocurría, de muy natural manera, sin que el director tuviera arte ni parte. Hacía medio siglo que Pancho Villa había muerto, pero a nadie le sorprendió que se apareciera por allí. Una noche, después de una intensa jornada de trabajo, unas cuantas mujeres se reunieron ante la casa donde Eraclio dormía, y le pidieron que intercediera por los presos. A la mañana siguiente, bien tempranito, él fue a hablar con el alcalde.

—*Tenía que venir el general Villa, para que se hiciera justicia* —comentó la gente.

La realidad es una loca de remate

D*ÍGAME una cosa. Dígame si el marxismo prohíbe comer vidrio. Quiero saber.*

Fue a mediados de 1970, en el oriente de Cuba. El hombre estaba ahí, plantado en la puerta, esperando. Me disculpé. Le dije que poco entendía yo de marxismo, algo nomás, alguito, y que mejor consultaba a un especialista en La Habana.

—*Ya me llevaron a La Habana* —me dijo—. *Allá me vieron los médicos. Y me vio el comandante. Fidel me preguntó: «Oye, ¿y lo tuyo no será ignorancia?»*

Por comer vidrio, le habían quitado el carnet de la Juventud Comunista:

—*Aquí, en Baracoa, me hicieron el proceso.*

Trígimo Suárez era miliciano ejemplar, machetero de avanzada y obrero de vanguardia, de esos que trabajan veinte horas y cobran ocho, siempre el primero en acudir a voltear caña o tirar tiros, pero tenía pasión por el vidrio:

—*No es vicio* —me explicó—. *Es necesidad.*

Cuando Trígimo era movilizado por cosecha o guerra, la madre le llenaba la mochila de comida: le ponía algunas botellas vacías, para el almuerzo y la cena, y para los postres, tubos de luz en desuso. También le ponía unas cuantas lámparas quemadas, para las meriendas.

Trígimo me llevó a la casa, en el reparto Camilo Cienfuegos, de Baracoa. Mientras charlábamos, yo bebía café y el comía lámparas. Después de acabar con el vidrio, chupaba, goloso, los filamentos.

—*El vidrio me llama. Yo amo al vidrio como amo a la revolución.*

Trígimo afirmaba que no había ninguna sombra en su pasado. Él nunca había comido vidrio ajeno, salvo una vez, una sola vez, cuando estando muy loco de hambre le había devorado los anteojos a un compañero de trabajo.

Crónica de la ciudad de La Habana

LOS padres habían huido al norte. En aquel tiempo, la revolución y él estaban recién nacidos. Un cuarto de siglo después, Nelson Valdés viajó de Los Angeles a La Habana, para conocer su país.

Cada mediodía, Nelson tomaba el ómnibus, la guagua 68, en la puerta del hotel, y se iba a leer libros sobre Cuba. Leyendo pasaba las tardes en la biblioteca José Martí, hasta que caía la noche.

Aquel mediodía, la guagua 68 pegó un frenazo en una bocacalle. Hubo gritos de protesta, por el tremendo sacudón, hasta que los pasajeros vieron el motivo del frenazo: una mujer muy rumbosa, que había cruzado la calle.

—*Me disculpan, caballeros* —dijo el conductor de la guagua 68, y se bajó. Entonces todos los pasajeros aplaudieron y le desearon buena suerte.

El conductor caminó balanceándose, sin apuro, y los pasajeros lo vieron acercarse a la muy salsosa, que estaba en la esquina, recostada a la pared, lamiendo un helado. Desde la guagua 68, los pasajeros seguían el ir y venir de aquella lengüita que besaba el helado mientras el conductor hablaba

y hablaba sin respuesta, hasta que de pronto ella se rió, y le regaló una mirada. El conductor alzó el pulgar y todos los pasajeros le dedicaron una cerrada ovación.

Pero cuando el conductor entró en la heladería, produjo cierta inquietud general. Y cuando al rato salió con un helado en cada mano, cundió el pánico en las masas.

Le tocaron bocina. Alguien se afirmó en la bocina con alma y vida, y sonó la bocina como alarma de robos o sirena de incendios; pero el conductor, sordo, como si nada, seguía pegado a la muy sabrosa.

Entonces avanzó, desde los asientos de atrás de la guagua 68, una mujer que parecía una gran bala de cañón y tenía cara de mandar. Sin decir palabra, se sentó en el asiento del conductor y puso el motor en marcha. La guagua 68 continuó su recorrido, parando en sus paradas habituales, hasta que la mujer llegó a su propia parada y se bajó. Otro pasajero ocupó su lugar, durante un buen tramo, de parada en parada, y después otro, y otro, y así siguió la guagua 68 hasta el final.

Nelson Valdés fue el último en bajar. Se había olvidado de la biblioteca.

La diplomacia en América Latina

W*HAT is that?* —preguntaban los turistas.

Balmaceda sonreía, disculpándose, y negaba con la cabeza. Él llevaba, como todos, guirnaldas de flores en el pescuezo, anteojos de sol y camisa con palmeras, pero estaba todo empapado de sudor por culpa de un paquete muy pesado.

Parecía condenado a carga perpetua. Había intentado abandonar el enorme bulto en el baño de un hotel de Manila y en el mostrador de la aduana de Papeete; había intentado arrojarlo por la borda del barco y había intentado olvidarlo en varios frondosos parajes de las islas del archipiélago de Tahití. Pero siempre había alguien que lo alcanzaba corriendo:

—¡Señor, señor, que se ha dejado algo!

Esta triste historia había empezado cuando el dictador Marcos invitó al dictador Pinochet a visitar las Filipinas. Entonces la cancillería chilena había enviado un busto en bronce del general O'Higgins desde Santiago a Manila. Pinochet iba a inaugurar esa efigie del prócer nacional en una plaza central de la ciudad. Pero Marcos, asustado por las furias de su pueblo, canceló súbitamente la invitación. Pinochet tuvo que volverse a Chile sin aterrizar. Entonces el funcionario Balmaceda recibió categóricas instrucciones en la embajada chilena en Manila. Por teléfono, le ordenaron desde Santiago:

—Basta de papelones. Deshágase de ese busto como pueda. Si vuelve a Chile con él, pierde el empleo.

Crónica de la ciudad de Quito

EN las manifestaciones de izquierda, desfila a la cabeza. Suele asistir a los actos culturales, aunque lo aburren, porque sabe que después hay farra. Le gusta el ron, sin hielo ni agua, pero que sea cubano.

Respeta los semáforos. Camina Quito de punta a punta, al derecho y al revés, recorriendo amigos y enemigos. En las subidas, prefiere el ómnibus, y se cuela sin pagar boleto. Algunos choferes le tiran la bronca: cuando se baja, le gritan *tuerto de mierda.*

Se llama Choco y es buscabronca y enamorado. Pelea hasta con cuatro a la vez; y en las noches de luna llena, se escapa a buscar novias. Después cuenta, alborotado, las locas aventuras que viene de vivir. Mishy no le entiende los detalles, aunque le capta el sentido general.

Una vez, hace años, se lo llevaron muy fuera de Quito. La comida no alcanzaba, y resolvieron dejarlo en el lejano pueblo donde había nacido. Pero volvió. Al mes, volvió. Llegó a la puerta de su casa y se quedó ahí tirado, sin fuerza para celebrarlo moviendo el rabo, ni para anunciarlo ladrando. Había andado por muchas montañas y avenidas y llegó en las últimas, hecho una piltrafa, los huesos a la vista, el pellejo sucio de sangre seca. Desde entonces odia los sombreros, los uniformes y las motocicletas.

El Estado en América Latina

HACE ya unos años, añares, que el coronel Amen me lo contó.

Resulta que a un soldado le llegó la orden de cambiar de cuartel. Por un año lo mandaron a otro destino, en algún cuartel de frontera, porque el Superior Gobierno del Uruguay había contraído una de sus periódicas fiebres de guerra al contrabando.

Al irse, el soldado le dejó su mujer y otras pertenencias al mejor amigo, para que se las tuviera en custodia.

Al año, volvió. Y se encontró con que el mejor amigo, también soldado, no le quería entregar la mujer. No había problema en devolver las demás cosas; pero la mujer, no. El litigio iba a resolverse mediante el veredicto del cuchillo, en duelo criollo, cuando el coronel Amen paró la mano:

—*Que se expliquen* —exigió.

—*Esa mujer es mía* —dijo el ausentado.

—*¿De él? Habrá sido. Pero ya no es* —dijo el otro.

—*Razones* —dijo el coronel—. *Quiero razones.*

Y el usurpador razonó:

—*Pero coronel, ¿cómo se la voy a devolver? ¡Con lo que ha sufrido la pobre! Si viera cómo la trataba este animal... La trataba, coronel... ¡como si fuera del Estado!*

La burocracia/1

EN tiempos de la dictadura militar, a mediados de 1973, un preso político uruguayo, Juan José Noueched, sufrió una sanción de cinco días: cinco días sin visita ni recreo, cinco días sin nada, por violación del reglamento. Desde el punto de vista del capitán que le aplicó la sanción, el reglamento no dejaba lugar a dudas. El reglamento establecía claramente que los presos debían caminar en fila y con ambas manos en la espalda. Noueched había sido castigado por poner una sola mano en la espalda.

Noueched era manco.

Había caído preso en dos etapas. Primero había caído su brazo. Después, él. El brazo cayó en Montevideo. Noueched venía escapando a todo correr cuando el policía que lo perseguía alcanzó a pegarle un manotón, le gritó: *¡Dése preso!* y se quedó con el brazo en la mano. El resto de Noueched cayó un año y medio después, en Paysandú.

En la cárcel, Noueched quiso recuperar su brazo perdido:

—*Haga una solicitud* —le dijeron.

Él explicó que no tenía lápiz:

—*Haga una solicitud de lápiz* —le dijeron.

Entonces tuvo lápiz, pero no tenía papel:

—*Haga una solicitud de papel* —le dijeron.

Cuando por fin tuvo lápiz y papel, formuló su solicitud de brazo.

Al tiempo, le contestaron. Que no. No se podía: el brazo estaba en otro expediente. A él lo había procesado la justicia militar. Al brazo, la justicia civil.

La burocracia/2

EL Tito Sclavo pudo ver y transcribir algunos partes oficiales de la cárcel llamada Libertad, en los años de la dictadura uruguaya. Son actas de castigo: se condena a calabozo solitario a los presos que han cometido el delito de dibujar pájaros, o parejas, o mujeres embarazadas, o que han sido sorprendidos usando una toalla estampada de flores. Un preso, cuya cabeza estaba, como todas, rapada a cero, fue castigado *por entrar despeinado al comedor.* Otro, *por sacar la cabeza por abajo de la puerta,* aunque bajo la puerta había un milímetro de luz. Hubo calabozo solitario para un preso que *pretendió familiarizarse con un perro de guerra,* y para otro que *insultó a un perro integrante de las Fuerzas Armadas.* Otro fue sancionado porque *ladró como un perro sin razón justificada.*

La burocracia/3

SIXTO Martínez cumplió el servicio militar en un cuartel de Sevilla.

En medio del patio de ese cuartel, había un banquito. Junto al banquito, un soldado hacía guardia. Nadie sabía por qué se hacía la guardia del banquito. La guardia se hacía porque se hacía, noche y día, todas las noches, todos los días, y de generación en generación los oficiales transmitían la orden y los soldados la obedecían. Nadie nunca dudó, nadie nunca preguntó. Si así se hacía, y siempre se había hecho, por algo sería.

Y así siguió siendo hasta que alguien, no sé qué general o coronel, quiso conocer la orden original. Hubo que revolver a fondo los archivos. Y después de mucho hurgar, se supo. Hacía treinta y un años, dos meses y cuatro días, un oficial había mandado montar guardia junto al banquito, que estaba recién pintado, para que a nadie se le ocurriera sentarse sobre la pintura fresca.

Sucedidos/1

EN los fogones de Paysandú, el Mellado Iturria cuenta sucedidos. Los sucedidos sucedieron alguna vez, o casi sucedieron, o no sucedieron nunca, pero lo bueno que tienen es que suceden cada vez que se cuentan.

Este es el triste sucedido del bagrecito del arroyo Negro.

Tenía bigotes de púas, era bizco y de ojos saltones. Nunca el Mellado había visto un pescado tan feo. El bagre venía pegado a sus talones desde la orilla del arroyo, y el Mellado no conseguía espantarlo. Cuando llegó a las casas, con el bagre como sombra, ya se había resignado.

Con el tiempo, le fue tomando cariño. El Mellado nunca había tenido un amigo sin patas. Desde el amanecer, el bagre lo acompañaba a ordeñar y a recorrer campo. A la caída de la tarde, tomaban mate juntos; y el bagre le escuchaba las confidencias.

Los perros, celosos, lo miraban con rencor; la cocinera, con malas intenciones. El Mellado pensó ponerle nombre, para tener cómo llamarlo y para hacerlo respetar, pero no conocía ningún nombre de pescado, y ponerle Sinforoso o Hermenegildo podía caerle mal a Dios.

No le quitaba un ojo de encima. El bagre tenía una notoria tendencia a las diabluras. Aprovechaba cualquier descuido y se iba a espantar a las gallinas o a provocar a los perros:

—*Comportesé* —le decía el Mellado.

Una mañana de mucho calor, que andaban las lagartijas con sombrilla y el bagrecito abanicándose a todo dar con las aletas, el Mellado tuvo la idea fatal:

—*Vamos a bañarnos al arroyo* —propuso.

Y allá fueron.

El bagre se ahogó.

Sucedidos/2

ANTAÑO don Verídico sembró casas y gentes en torno al boliche El Resorte, para que el boliche no se quedara solo. Este sucedido sucedió, dicen que dicen, en el pueblo por él nacido.

Y dicen que dicen que había allí un tesoro, escondido en la casa de un viejito calandraca.

Una vez por mes, el viejito, que estaba en las últimas, se levantaba de la cama y se iba a cobrar la jubilación.

Aprovechando la ausencia, unos ladrones, venidos de Montevideo, le invadieron la casa.

Los ladrones buscaron y rebuscaron el tesoro en cada recoveco. Lo único que encontraron fue un baúl de madera, tapado de cobijas, en un rincón del sótano. El tremendo candado que lo defendía resistió, invicto, el ataque de las ganzúas.

Así que se llevaron el baúl. Y cuando por fin consiguieron abrirlo, ya lejos de allí, descubrieron que el baúl estaba lleno de cartas. Eran las cartas de amor que el viejito había recibido todo a lo largo de su larga vida.

Los ladrones iban a quemar las cartas. Se discutió. Finalmente, decidieron devolverlas. Y de a una. Una por semana.

Desde entonces, al mediodía de cada lunes, el viejito se sentaba en lo alto de la loma. Allá esperaba que apareciera el cartero en el camino. No bien veía asomar el caballo, gordo de alforjas, por entre los árboles, el viejito se echaba a correr. El cartero, que ya sabía, le traía su carta en la mano.

Y hasta san Pedro escuchaba los latidos de ese corazón loco de la alegría de recibir palabras de mujer.

Sucedidos/3

QUÉ es la verdad? La verdad es una mentira contada por Fernando Silva.

Fernando cuenta con todo el cuerpo, y no solo con palabras, y puede convertirse en otra gente o en bicho volador o en lo que sea, y lo hace de tal manera que después uno escucha, pongamos por caso, al pájaro clarinero cantando en una rama, y uno piensa: *Ese pájaro está imitando a Fernando cuando Fernando imita al pájaro clarinero.*

Él cuenta sucedidos de la gentecita linda del pueblo, la gente recién creada, que huele a barro todavía; y también cuenta los sucedidos de algunos tipos estrafalarios que él conoció, como aquel espejero que hacía espejos y en ellos se metía y se perdía, o aquel apagador de volcanes que el diablo dejó tuerto, por venganza, escupiéndole un ojo. Los sucedidos suceden en lugares donde Fernando estuvo: el hotel que abría sólo para fantasmas, la mansión aquella donde las brujas se murieron de aburrimiento o la casa de Ticuantepe, que era tan sombrosa y fresca que te daba ganas de tener, allí, una novia esperando.

Además, Fernando trabaja de médico. Prefiere las hierbas a las pastillas y cura la úlcera con cardosanto y huevo de paloma; pero a las hierbas prefiere la propia mano. Porque él cura tocando. Y contando, que es otra manera de tocar.

Nochebuena

FERNANDO Silva dirige el hospital de niños, en Managua.

En vísperas de Navidad, se quedó trabajando hasta muy tarde. Ya estaban sonando los cohetes, y empezaban los fuegos artificiales a iluminar el cielo, cuando Fernando decidió marcharse. En su casa lo esperaban para festejar.

Hizo una última recorrida por las salas, viendo si todo quedaba en orden, y en eso estaba cuando sintió que unos pasos lo seguían. Unos pasos de algodón: se volvió y descubrió que uno de los enfermitos le andaba atrás. En la penumbra, lo reconoció. Era un niño que estaba solo. Fernando reconoció su cara ya marcada por la muerte y esos ojos que pedían disculpas o quizá pedían permiso.

Fernando se acercó y el niño lo rozó con la mano:

—*Decile a...* —susurró el niño—. *Decile a alguien, que yo estoy aquí.*

Los nadies

SUEÑAN las pulgas con comprarse un perro y sueñan los nadies con salir de pobres, que algún mágico día llueva de pronto la buena suerte, que llueva a cántaros la buena suerte; pero la buena suerte no llueve ayer, ni hoy, ni mañana, ni nunca, ni en llovizníta cae del cielo la buena suerte, por mucho que los nadies la llamen y aunque les pique la mano izquierda, o se levanten con el pie derecho, o empiecen el año cambiando de escoba.

Los nadies: los hijos de nadie, los dueños de nada.

Los nadies: los ningunos, los ninguneados, corriendo la liebre, muriendo la vida, jodidos, rejodidos:

Que no son, aunque sean.

Que no hablan idiomas, sino dialectos.

Que no profesan religiones, sino supersticiones.

Que no hacen arte, sino artesanía.

Que no practican cultura, sino folklore.

Que no son seres humanos, sino recursos humanos.

Que no tienen cara, sino brazos.

Que no tienen nombre, sino número.

Que no figuran en la historia universal, sino en la crónica roja de la prensa local.

Los nadies, que cuestan menos que la bala que los mata.

El hambre/1

A la salida de San Salvador, y yendo hacia Guazapa, Berta Navarro encontró una campesina desalojada por la guerra, una de las miles y miles de campesinas desalojadas por la guerra. En nada se distinguía ella de las muchas otras, ni de los muchos otros, mujeres y hombres caídos desde el hambre hasta el hambre y media. Pero esa campesina esmirriada y fea estaba de pie en medio de la desolación, sin nada de carne entre los huesos y la piel, y en la mano tenía un pajarito esmirriado y feo. El pajarito estaba muerto y ella le arrancaba muy lentamente las plumas.

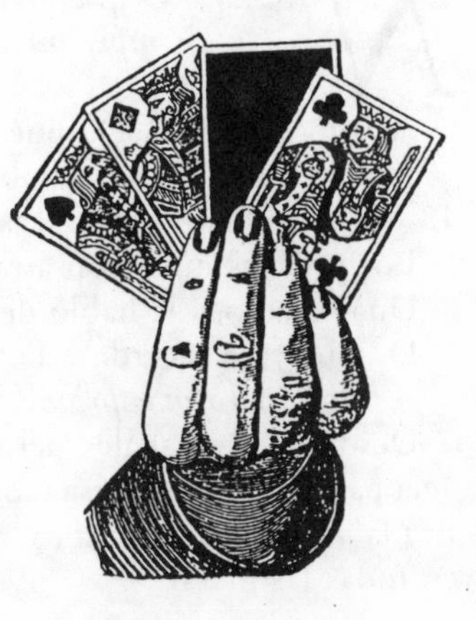

Crónica de la ciudad de Caracas

NECESITO *que alguien me oiga!* —gritaba.

—*¡Siempre me dicen que venga mañana!* —gritaba.

Arrojó la camisa. Después, las medias y los zapatos.

José Manuel Pereira estaba parado en la cornisa del piso 18 de un edificio de Caracas.

Los policías quisieron atraparlo y no pudieron.

Una psicóloga le habló desde la ventana más próxima.

Después, un sacerdote le llevó la palabra de Dios.

—*¡No quiero más promesas!* —gritaba José Manuel.

Desde los ventanales del restorán de la Torre Sur, se lo veía parado en la cornisa, con las manos pegadas a la pared. Era la hora del almuerzo, y éste fue el tema de conversación en todas las mesas.

Abajo, en la calle, se había juntado una multitud.

Pasaron seis horas.

Al final, la gente estaba harta.

—*¡Que se decida!* —decía la gente.— *¡Que se tire de una vez!* —pensaba la gente.

Los bomberos le arrimaron una cuerda. Al principio, él no hizo caso. Pero finalmente estiró una mano, y luego la otra, y agarrado a la cuerda se deslizó hasta el piso 16. Entonces intentó meterse por una ventana abierta y resbaló y cayó al vacío. Al pegar contra el piso, el cuerpo hizo un ruido de bomba que estalla.

Entonces la gente se fue, y se fueron los vendedores de helados y los vendedores de salchichas y los vendedores de cerveza y de refrescos en lata.

Avisos

SE vende:

—Una negra medio bozal, de nación cabinda, en la cantidad de 430 pesos. Tiene principios de coser y planchar.

—Sanguijuelas recién venidas de Europa, de la mejor calidad, a cuatro, cinco y seis vintenes una.

—Un coche, en quinientos patacones, o se cambia por una negra.

—Una negra, de edad de trece a catorce años, sin vicios, de nación bangala.

—Un mulatillo de edad de once años, con principios de sastre.

—Esencia de zarzaparrilla, a dos pesos el frasquito.

—Una primeriza con pocos días de parida. No tiene criatura, pero tiene abundante y buena leche.

—Un león, manso como un perro, que come de todo, y también una cómoda y una caja de caoba.

—Una criada sin vicios ni enfermedades, de nación conga, de edad como de dieciocho años, y asimismo un piano y otros muebles, a precios cómodos.

(De los diarios uruguayos de 1840, veintisiete años después de la abolición de la esclavitud.)

Crónica de la ciudad de Río

EN lo alto de la noche de Río de Janeiro, luminoso, generoso, el Cristo del Corcovado extiende sus brazos. Bajo esos brazos encuentran amparo los nietos de los esclavos.

Una mujer descalza mira al Cristo, desde muy abajo, y señalándole el fulgor, muy tristemente dice:

—*Ya no va a estar. Me han dicho que lo van a sacar de aquí.*

—*No te preocupes* —le asegura una vecina—. *No te preocupes: Él vuelve.*

A muchos mata la policía, y a muchos más la economía. En la ciudad violenta, resuenan balazos y también tambores: los tambores, ansiosos de consuelo y de venganza, llaman a los dioses africanos. Cristo sólo no alcanza.

Los numeritos y la gente

DÓNDE se cobra el Ingreso per Cápita? A más de un muerto de hambre le gustaría saberlo.

En nuestras tierras, los numeritos tienen mejor suerte que las personas. ¿A cuántos les va bien cuando a la economía le va bien? ¿A cuántos desarrolla el desarrollo?

En Cuba, la revolución triunfó en el año más próspero de toda la historia económica de la isla.

En América Central, las estadísticas sonreían y reían mientras más jodida y desesperada estaba la gente. En las décadas del 50, del 60, del 70, años tormentosos, tiempos turbulentos, América Central lucía los índices de crecimiento económico más altos del mundo y el mayor desarrollo regional de la historia humana.

En Colombia, los ríos de sangre se cruzan con los ríos de oro. Esplendores de la economía, años de plata fácil: en plena euforia, el país produce cocaína, café y crímenes en cantidades locas.

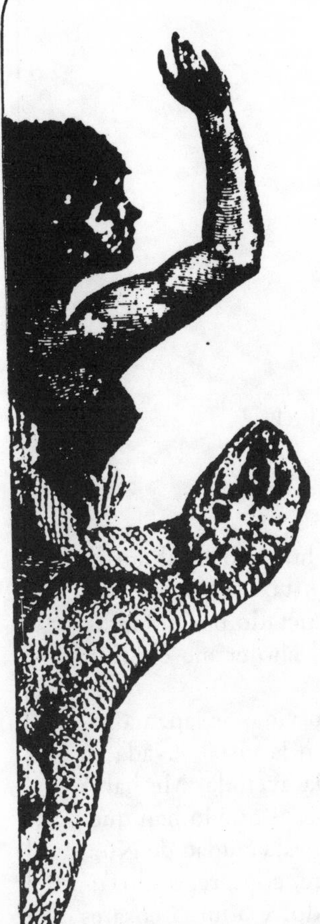

El hambre/2

UN sistema del desvínculo: *El buey solo bien se lame.* El prójimo no es tu hermano, ni tu amante. El prójimo es un competidor, un enemigo, un obstáculo a saltar o una cosa para usar. El sistema, que no da de comer, tampoco da de amar: a muchos condena al hambre de pan y a muchos más condena al hambre de abrazos.

Crónica de la ciudad de Nueva York

ES madrugada y estoy lejos del hotel, bien al sur de la isla de Manhattan. Tomo un taxi. Doy la dirección en perfecto inglés, quizá dictado por el fantasma de mi tatarabuelo de Liverpool. El chofer me contesta en perfecto castellano de Guayaquil.

A poco andar, el chofer me cuenta su vida. Se lanza a hablar, y no para. Habla sin mirarme, con la vista clavada en el río de luces de los automóviles en la avenida. Me habla de los asaltos que ha sufrido, y de las veces que lo han querido matar, y de la locura del tránsito en esta ciudad de Nueva York, y me habla del vértigo, compre, compre, úselo, tírelo, sea comprado, sea usado, sea tirado, y aquí la cosa es abrirse paso a pecho limpio, que aplastas o te aplastan, te pasan por encima, y él está en esto desde que era niño, así como ve, desde que era niño chico recién llegado del Ecuador —y me dice que ahora se le fue la mujer.

La mujer se le fue después de doce años de matrimonio. No es culpa de ella, dice. Entro y acabo, dice. Ella nunca gozó, dice.

Dice que es por culpa de la próstata.

Dicen las paredes/1

EN el sector infantil de la Feria del Libro, en Bogotá:
El locóptero es muy veloz, pero muy lento.
En la rambla de Montevideo, ante el río-mar:
Un hombre alado prefiere la noche.
A la salida de Santiago de Cuba:
Cómo gasto paredes recordándote.
Y en las alturas de Valparaíso:
Yo nos amo.

Amares

NOS amábamos rodando por el espacio y éramos una bolita de carne sabrosa y salsosa, una sola bolita caliente que resplandecía y echaba jugosos aromas y vapores mientras daba vueltas y vueltas por el sueño de Helena y por el espacio infinito y rodando caía, suavemente caía, hasta que iba a parar al fondo de una gran ensalada. Allí se quedaba, aquella bolita que éramos ella y yo; y desde el fondo de la ensalada vislumbrábamos el cielo. Nos asomábamos a duras penas a través del tupido follaje de las lechugas, los ramajes del apio y el bosque del perejil, y alcanzábamos a ver algunas estrellas que andaban navegando en lo más lejos de la noche.

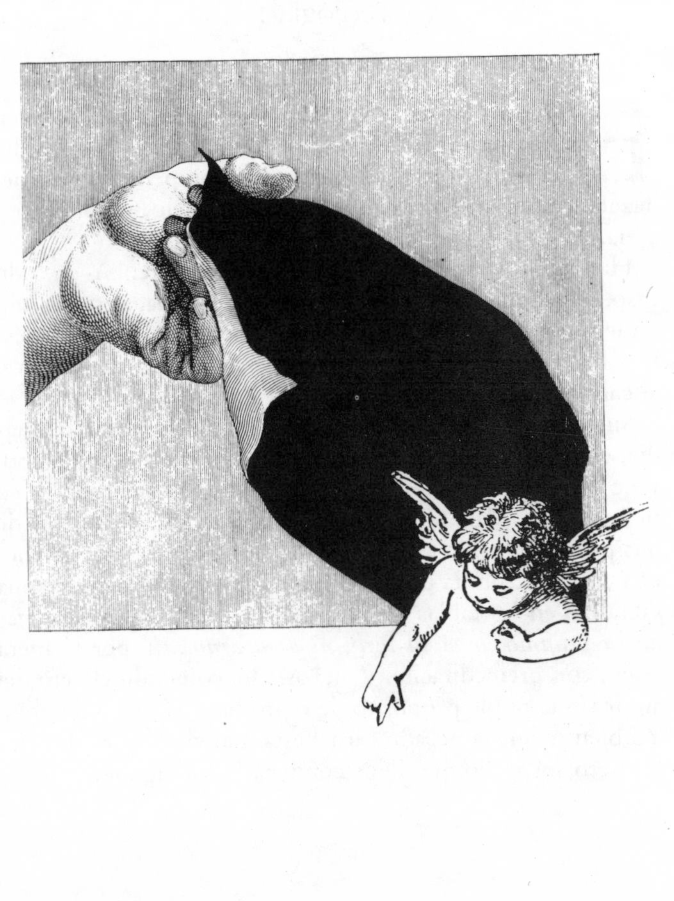

Teología/1

EL catecismo me enseñó, en la infancia, a hacer el bien por conveniencia y a no hacer el mal por miedo. Dios me ofrecía castigos y recompensas, me amenazaba con el infierno y me prometía el cielo; y yo temía y creía.

Han pasado los años. Yo ya no temo ni creo. Y en todo caso, pienso, si merezco ser asado en la parrilla, a eterno fuego lento, que así sea. Así me salvaré del purgatorio, que estará lleno de horribles turistas de la clase media; y al fin y al cabo, se hará justicia.

Sinceramente: merecer, merezco. Nunca he matado a nadie, es verdad, pero ha sido por falta de coraje o de tiempo, y no por falta de ganas. No voy a misa los domingos, ni en fiestas de guardar. He codiciado a casi todas las mujeres de mis prójimos, salvo a las feas, y por tanto he violado, al menos en intención, la propiedad privada que Dios en persona sacralizó en las tablas de Moisés: *No codiciarás a la mujer de tu prójimo, ni a su toro, ni a su asno...* Y por si fuera poco, con premeditación y alevosía he cometido el acto del amor sin el noble propósito de reproducir la mano de obra. Yo bien sé que el pecado carnal está mal visto en el alto cielo; pero sospecho que Dios condena lo que ignora.

Teología/2

EL dios de los cristianos, Dios de mi infancia, no hace el amor. Quizás es el único dios que nunca ha hecho el amor, entre todos los dioses de todas las religiones de la historia humana. Cada vez que lo pienso, siento pena por él. Y entonces le perdono que haya sido mi superpapá castigador, jefe de policía del universo, y pienso que al fin y al cabo Dios también supo ser mi amigo en aquellos viejos tiempos, cuando yo creía en Él y creía que Él creía en mí. Entonces paro la oreja, a la hora de los rumores mágicos, entre la caída del sol y la caída de la noche, y me parece escuchar sus melancólicas confidencias.

Teología/3

FE *de erratas:* donde el Antiguo Testamento dice lo que dice, debe decir lo que quizá me ha confesado su principal protagonista:

Lástima que Adán fuera tan bruto. Lástima que Eva fuera tan sorda. Y lástima que yo no supe hacerme entender.

Adán y Eva eran los primeros seres humanos que de mi mano nacían, y reconozco que tenían ciertos defectos de estructura, armado y terminación. Ellos no estaban preparados para escuchar, ni para pensar. Y yo... bueno, quizá yo no estaba preparado para hablar. Antes de Adán y Eva, nunca había hablado con nadie. Yo había pronunciado bellas frases, como «Hágase la luz», pero siempre en soledad. Así que aquella tarde, cuando me encontré con Adán y Eva a la hora de la brisa, no fui muy elocuente. Me faltaba práctica.

Lo primero que sentí fue asombro. Ellos acababan de robar la fruta del árbol prohibido, en el centro del Paraíso. Adán había puesto cara de general que viene de entregar la espada y Eva miraba al suelo, como contando hormigas. Pero los dos estaban increíblemente jóvenes y bellos y radiantes. Me sorprendieron. Yo los había hecho; pero yo no sabía que el barro podía ser luminoso.

Después, lo reconozco, sentí envidia. Como nadie puede darme órdenes, ignoro la dignidad de la desobediencia. Tampoco puedo conocer la osadía del amor, que exige dos. En ho-

menaje al principio de autoridad, me aguanté las ganas de felicitarlos por haberse hecho súbitamente sabios en pasiones humanas.

Entonces, vinieron los equívocos. Ellos entendieron caída donde yo hablé de vuelo. Creyeron que un pecado merece castigo si es original. Dije que peca quien desama: entendieron que peca quien ama. Donde anuncié pradera de fiesta, entendieron valle de lágrimas. Dije que el dolor era la sal que daba gustito a la aventura humana: entendieron que yo los estaba condenando al otorgarles la gloria de ser mortales y loquitos. Entendieron todo al revés. Y se lo creyeron.

Últimamente ando con problemas de insomnio. Desde hace algunos milenios, me cuesta dormir. Y dormir me gusta, me gusta mucho, porque cuando duermo, sueño. Entonces me hago amante o amanta, me quemo en el fuego fugaz de los amores de paso, soy cómico de la legua, pescador de alta mar o gitana adivinadora de la suerte; del árbol prohibido devoro hasta las hojas y bebo y bailo hasta rodar por los suelos...

Cuando despierto, estoy solo. No tengo con quien jugar, porque los ángeles me toman tan en serio, ni tengo a quien desear. Estoy condenado a desearme a mí mismo. De estrella en estrella ando vagando, aburriéndome en el universo vacío. Me siento muy cansado, me siento muy solo. Yo estoy solo, yo soy solo, solo por toda la eternidad.

La noche/1

NO consigo dormir. Tengo una mujer atravesada entre los párpados. Si pudiera, le diría que se vaya; pero tengo una mujer atravesada en la garganta.

El diagnóstico y la terapéutica

EL amor es una enfermedad de las más jodidas y contagiosas. A los enfermos, cualquiera nos reconoce. Hondas ojeras delatan que jamás dormimos, despabilados noche tras noche por los abrazos, o por la ausencia de los abrazos, y padecemos fiebres devastadoras y sentimos una irresistible necesidad de decir estupideces.

El amor se puede provocar, dejando caer un puñadito de polvo de quereme, como al descuido, en el café o en la sopa o el trago. Se puede provocar, pero no se puede impedir. No lo impide el agua bendita, ni lo impide el polvo de hostia; tampoco el diente de ajo sirve para nada. El amor es sordo al Verbo divino y al conjuro de las brujas. No hay decreto de gobierno que pueda con él, ni pócima capaz de evitarlo, aunque las vivanderas pregonen, en los mercados, infalibles brebajes con garantía y todo.

La noche/2

ARRÁNQUEME, señora, las ropas y las dudas. Desnúdeme, desdúdeme.

Los llamares

LA luna llama a la mar y la mar llama al humilde chorrito de agua, que en busca de la mar corre y corre desde donde sea, por muy lejos que sea, y corriendo crece y arremete y no hay montaña que le pare la pechada. El sol llama a la parra, que queriendo sol se estira y sube. El primer aire de la mañana llama a los olores de la ciudad que despierta, aroma del pan recién dorado, aroma del café recién molido, y los aromas al aire entran y del aire se apoderan. La noche llama a las flores del camalote, y a medianoche en punto estallan en el río esos blancos fulgores que abren la negrura y se meten en ella y la rompen y se la comen.

La noche/3

YO me duermo a la orilla de una mujer: yo me duermo a la orilla de un abismo.

La pequeña muerte

NO nos da risa el amor cuando llega a lo más hondo de su viaje, a lo más alto de su vuelo: en lo más hondo, en lo más alto, nos arranca gemidos y quejidos, voces de dolor, aunque sea jubiloso dolor, lo que pensándolo bien nada tiene de raro, porque nacer es una alegría que duele. *Pequeña muerte,* llaman en Francia a la culminación del abrazo, que rompiéndonos nos junta y perdiéndonos nos encuentra y acabándonos nos empieza. *Pequeña muerte,* la llaman; pero grande, muy grande ha de ser, si matándonos nos nace.

La noche/4

ME desprendo del abrazo, salgo a la calle.

En el cielo, ya clareando, se dibuja, finita, la luna.

La luna tiene dos noches de edad.

Yo, una.

El devorador devorado

EL pulpo tiene los ojos del pescador que lo atraviesa. Es de tierra el hombre que será comido por la tierra que le da de comer. Come el hijo a la madre y la tierra come al cielo cada vez que recibe la lluvia de sus pechos. La flor se cierra, glotona, sobre el pico del pájaro hambriento de sus mieles. No hay esperado que no sea esperador ni amante que no sea boca y bocado, devorador devorado: los amantes se comen entre sí de cabo a rabo, de punta a punta, todos toditos, todopoderosos, todoposeídos, sin que quede sobrando la punta de una oreja ni un dedo del pie.

Dicen las paredes/2

EN Buenos Aires, en el puente de La Boca:
Todos prometen y nadie cumple. Vote por nadie.

En Caracas, en tiempos de crisis, a la entrada de uno de los barrios más pobres:
Bienvenida, clase media.

En Bogotá, a la vuelta de la Universidad Nacional:
Dios vive.

Y debajo, con otra letra:
De puro milagro.

Y también en Bogotá:
¡Proletarios de todos los países, uníos!

Y debajo, con otra letra:
(Último aviso.)

La vida profesional/1

A fines de 1987, Héctor Abad Gómez denunció que la vida de un hombre no vale más que ocho dólares. Cuando su artículo se publicó, en un diario de Medellín, ya él había sido asesinado. Héctor Abad Gómez era el presidente de la Comisión de Derechos Humanos.

En Colombia, es raro morir de enfermedad.

—*¿Cómo quiere el cadáver, su merced?*

El matador recibe la mitad a cuenta. Carga la pistola y se persigna. Pide a Dios que lo ayude en su trabajo.

Después, si no le falla la puntería, cobra la otra mitad. Y en la iglesia, de rodillas, agradece el favor divino.

Crónica de la ciudad de Bogotá

CUANDO el telón caía, al fin de cada noche, Patricia Ariza, marcada para morir, cerraba los ojos. En silencio agradecía los aplausos del público y también agradecía otro día de vida burlado a la muerte.

Patricia estaba en la lista de los condenados, por pensar en rojo y en rojo vivir; y las sentencias se iban cumpliendo, implacablemente, una tras otra.

Hasta sin casa quedó. Una bomba podía volar el edificio: los vecinos, obedientes a la ley del miedo, le exigieron que se fuera.

Ella andaba con chaleco antibalas por las calles de Bogotá. No había más remedio; pero el chaleco era triste y feo. Un día, Patricia le cosió unas cuantas lentejuelas, y otro día le bordó unas flores de colores, flores bajando como en llu-

via sobre los pechos, y así el chaleco fue por ella alegrado y alindado, y mal que bien pudo acostumbrarse a llevarlo siempre puesto, y ya ni en el escenario se lo sacaba.

Cuando Patricia viajó fuera de Colombia, para actuar en teatros europeos, ofreció su chaleco antibalas a un campesino llamado Julio Cañón.

A Julio Cañón, alcalde del pueblo de Vistahermosa, ya le habían matado a toda la familia, a modo de advertencia, pero él se negó a usar ese chaleco florido:

—*Yo no me pongo cosas de mujeres* —dijo.

Con una tijera, Patricia le arrancó los brillitos y los colores, y entonces el hombre aceptó.

Esa noche lo acribillaron. Con el chaleco puesto.

Elogio del arte de la oratoria

EN el poder, hay división del trabajo: el ejército, las bandas armadas y los asesinos sueltos se ocupan de las contradicciones sociales y la lucha de clases. Los civiles tienen a su cargo los discursos.

En Bogotá hay varias fábricas de discursos, aunque sólo una de las empresas, la Fábrica Nacional de Discursos, tiene teléfono registrado en la guía. Estas plantas industriales han discurseado las campañas de numerosos candidatos a la presidencia, en Colombia y en los países vecinos, y habitualmente producen discursos a medida para interpelar ministros, inaugurar escuelas o cárceles, celebrar bodas o cumpleaños o bautismos, conmemorar próceres de la historia patria y elogiar difuntos que dejan vacíos imposibles de llenar:

—*Yo, el menos indicado quizá...*

La vida profesional/2

TIENEN el mismo nombre, el mismo apellido. Ocupan la misma casa y calzan los mismos zapatos. Duermen en la misma almohada, junto a la misma mujer. Cada mañana, el espejo les devuelve la misma cara. Pero él y él no son la misma persona:

—*Y yo, ¿qué tengo que ver?* —dice él, hablando de él, mientras se encoge de hombros.

—*Yo cumplo órdenes* —dice, o dice:

—*Para eso me pagan.*

O dice:

—*Si no lo hago yo, lo hace otro.*

Que es como decir:

—*Yo soy otro.*

Ante el odio de la víctima, el verdugo siente estupor, y hasta una cierta sensación de injusticia: al fin y al cabo, él es un funcionario, un simple funcionario que cumple su horario y su tarea. Terminada la agotadora jornada de trabajo, el torturador se lava las manos.

Ahmadou Gherab, que peleó por la independencia de Argelia, me lo contó. Ahmadou fue torturado por un oficial francés durante varios meses. Y cada día, a las seis en punto de la tarde, el torturador se secaba el sudor de la frente, desenchufaba la picana eléctrica y guardaba los demás instrumentos de trabajo. Entonces se sentaba junto al torturado y le hablaba de sus problemas familiares y del ascenso que no llega y lo cara que está la vida. El torturador hablaba de su mujer insufrible y del hijo recién nacido, que no lo había dejado pegar un ojo en toda la noche; hablaba contra Orán, esta ciudad de mierda, y contra el hijo de puta del coronel que...

Ahmadou, ensangrentado, temblando de dolor, ardiendo en fiebres, no decía nada.

La vida profesional/3

LOS banqueros de la gran banquería del mundo, que practican el terrorismo del dinero, pueden más que los reyes y los mariscales y más que el propio Papa de Roma. Ellos jamás se ensucian las manos. No matan a nadie: se limitan a aplaudir el espectáculo.

Sus funcionarios, los tecnócratas internacionales, mandan en nuestros países: ellos no son presidentes, ni ministros, ni han sido votados en ninguna elección, pero deciden el nivel de los salarios y del gasto público, las inversiones y las desinversiones, los precios, los impuestos, los intereses, los subsidios, la hora de salida del sol y la frecuencia de las lluvias.

No se ocupan, en cambio, de las cárceles, ni de las cámaras de tormento, ni de los campos de concentración, ni de los centros de exterminio, aunque en esos lugares ocurren las inevitables consecuencias de sus actos.

Los tecnócratas reivindican el privilegio de la irresponsabilidad:

—*Somos neutrales* —dicen.

Mapamundi/1

EL *sistema:*

Con una mano roba lo que con la otra presta.

Sus víctimas:

Cuanto más pagan, más deben.
Cuanto más reciben, menos tienen.
Cuanto más venden, menos cobran.

Mapamundi/2

AL sur, la represión. Al norte, la depresión.

No son pocos los intelectuales del norte que se casan con las revoluciones del sur por el puro placer de enviudar. Prestigiosamente lloran, lloran a cántaros, lloran a mares, la muerte de cada ilusión; y nunca demoran demasiado en descubrir que el socialismo es el camino más largo para llegar del capitalismo al capitalismo.

La moda del norte, moda universal, celebra al arte neutral y aplaude a la víbora que se muerde la cola y la encuentra sabrosa. La cultura y la política se han convertido en artículos de consumo. Los presidentes se eligen por televisión, como los jabones, y los poetas cumplen una función decorativa. No hay más magia que la magia del mercado, ni más héroes que los banqueros.

La democracia es un lujo del norte. Al sur se le permite el espectáculo, que eso no se le niega a nadie. Y a nadie molesta mucho, al fin y al cabo, que la política sea democrática, siempre y cuando la economía no lo sea. Cuando cae el telón, una vez depositados los votos en las urnas, la realidad impone la ley del más fuerte, que es la ley del dinero. Así lo quiere el orden natural de las cosas. En el sur del mundo, enseña el sistema, la violencia y el hambre no pertenecen a la historia, sino a la naturaleza, y la justicia y la libertad han sido condenadas a odiarse entre sí.

La desmemoria/1

ESTOY leyendo una novela de Louise Erdrich.

A cierta altura, un bisabuelo encuentra a su bisnieto.

El bisabuelo está completamente chocho *(sus pensamientos tienen el color del agua)* y sonríe con la misma beatífica sonrisa de su bisnieto recién nacido. El bisabuelo es feliz porque ha perdido la memoria que tenía. El bisnieto es feliz porque no tiene, todavía, ninguna memoria.

He aquí, pienso, la felicidad perfecta. Yo no la quiero.

La desmemoria/2

EL miedo seca la boca, moja las manos y mutila. El miedo de saber nos condena a la ignorancia; el miedo de hacer nos reduce a la impotencia. La dictadura militar, miedo de escuchar, miedo de decir, nos convirtió en sordomudos. Ahora la democracia, que tiene miedo de recordar, nos enferma de amnesia; pero no se necesita ser Sigmund Freud para saber que no hay alfombra que pueda ocultar la basura de la memoria.

El miedo

UNA mañana, nos regalaron un conejo de Indias. Llegó a casa enjaulado. Al mediodía, le abrí la puerta de la jaula.

Volví a casa al anochecer y lo encontré tal como lo había dejado: jaula adentro, pegado a los barrotes, temblando del susto de la libertad.

El río del Olvido

LA primera vez que fui a Galicia, mis amigos me llevaron al río del Olvido. Mis amigos me dijeron que los legionarios romanos, en los antiguos tiempos imperiales, habían querido invadir estas tierras, pero de aquí no habían pasado: paralizados por el pánico, se habían detenido a la orilla de este río. Y no lo habían atravesado nunca, porque quien cruza el río del Olvido llega a la otra orilla sin saber quién es ni de dónde viene.

Yo estaba empezando mi exilio en España, y pensé: si bastan las aguas de un río para borrar la memoria ¿qué pasará conmigo, resto de naufragio, que atravesé toda una mar?

Pero yo había estado recorriendo los pueblecitos de Pon-

tevedra y Orense, y había descubierto tabernas y cafés que se llamaban *Uruguay* o *Venezuela* o *Mi Buenos Aires Querido* y cantinas que ofrecían parrilladas o arepas, y por todas partes había banderines de Peñarol y Nacional y Boca Juniors, y todo eso era de los gallegos que habían regresado de América y sentían, ahora, la nostalgia al revés. Ellos se habían marchado de sus aldeas, exiliados como yo, aunque los hubiera corrido la economía y no la policía, y al cabo de muchos años estaban de vuelta en su tierra de origen, y nunca habían olvidado nada. Ni al irse, ni al estar, ni al volver: nunca habían olvidado nada. Y ahora tenían dos memorias y tenían dos patrias.

La desmemoria/3

EN las islas francesas del Caribe, los textos de historia enseñan que Napoleón fue el más admirable guerrero de Occidente. En esas islas, Napoleón restableció la esclavitud en 1802. A sangre y fuego obligó a que los negros libres volvieran a ser esclavos de las plantaciones. De eso, nada dicen los textos. Los negros son los nietos de Napoleón, no sus víctimas.

La desmemoria/4

CHICAGO está llena de fábricas. Hay fábricas hasta en pleno centro de la ciudad, en torno al edificio más alto del mundo. Chicago está llena de fábricas, Chicago está llena de obreros.

Al llegar al barrio de Heymarket, pido a mis amigos que me muestren el lugar donde fueron ahorcados, en 1886, aquellos obreros que el mundo entero saluda cada primero de mayo.

—Ha de ser por aquí —me dicen. Pero nadie sabe.

Ninguna estatua se ha erigido en memoria de los mártires de Chicago en la ciudad de Chicago. Ni estatua, ni monolito, ni placa de bronce, ni nada.

El primero de mayo es el único día verdaderamente universal de la humanidad entera, el único día donde coinciden

todas las historias y todas las geografías, todas las lenguas y las religiones y las culturas del mundo; pero en los Estados Unidos, el primero de mayo es un día cualquiera. Ese día, la gente trabaja normalmente, y nadie, o casi nadie, recuerda que los derechos de la clase obrera no han brotado de la oreja de una cabra, ni de la mano de Dios o del amo.

Tras la inútil exploración de Heymarket, mis amigos me llevan a conocer la mejor librería de la ciudad. Y allí, por pura curiosidad, por pura casualidad, descubro un viejo cartel que está como esperándome, metido entre muchos otros carteles de cine y música rock.

El cartel reproduce un proverbio del Africa: *Hasta que los leones tengan sus propios historiadores, las historias de cacería seguirán glorificando al cazador.*

Celebración de la subjetividad

YO ya llevaba un buen rato escribiendo *Memoria del fuego*, y cuanto más escribía más adentro me metía en las historias que contaba. Ya me estaba costando distinguir el pasado del presente: lo que había sido estaba siendo, y estaba siendo a mi alrededor, y escribir era mi manera de golpear y de abrazar. Sin embargo, se supone que los libros de historia no son subjetivos.

Se lo comenté a don José Coronel Urtecho: en este libro que estoy escribiendo, al revés y al derecho, a luz y a trasluz, se mire como se mire, se me notan a simple vista mis broncas y mis amores.

Y a orillas del río San Juan, el viejo poeta me dijo que a los fanáticos de la objetividad no hay que hacerles ni puto caso:

—*No te preocupés* —me dijo—. *Así debe ser. Los que hacen de la objetividad una religión, mienten. Ellos no quieren ser objetivos, mentira: quieren ser objetos, para salvarse del dolor humano.*

Celebración de las bodas de la razón y el corazón

PARA qué escribe uno, si no es para juntar sus pedazos? Desde que entramos en la escuela o la iglesia, la educación nos descuartiza: nos enseña a divorciar el alma del cuerpo y la razón del corazón.

Sabios doctores de Ética y Moral han de ser los pescadores de la costa colombiana, que inventaron la palabra *sentipensante* para definir al lenguaje que dice la verdad.

Divorcios

Un sistema de desvínculos: para que los callados no se hagan preguntones, para que los opinados no se vuelvan opinadores. Para que no se junten los solos, ni junte el alma sus pedazos.

El sistema divorcia la emoción y el pensamiento como divorcia el sexo y el amor, la vida íntima y la vida pública, el pasado y el presente. Si el pasado no tiene nada que decir al presente, la historia puede quedarse dormida, sin molestar, en el ropero donde el sistema guarda sus viejos disfraces.

El sistema nos vacía la memoria, o nos llena la memoria de basura, y así nos enseña a repetir la historia en lugar de hacerla. Las tragedias se repiten como farsas, anunciaba la célebre profecía. Pero entre nosotros, es peor: las tragedias se repiten como tragedias.

Celebración de las contradicciones/1

COMO trágica letanía se repite a sí misma la memoria boba. La memoria viva, en cambio, nace cada día, porque ella es desde lo que fue y contra lo que fue.

Aufheben era el verbo que Hegel prefería, entre todos los verbos de la lengua alemana. *Aufheben* significa, a la vez, conservar y anular; y así rinde homenaje a la historia humana, que muriendo nace y rompiendo crea.

Celebración de las contradicciones/2

DESATAR las voces, desensoñar los sueños: escribo queriendo revelar lo real maravilloso, y descubro lo real maravilloso en el exacto centro de lo real horroroso de América.

En estas tierras, la cabeza del dios Eleggúa lleva la muerte en la nuca y la vida en la cara. Cada promesa es una amenaza; cada pérdida, un encuentro. De los miedos nacen los corajes; y de las dudas, las certezas. Los sueños anuncian otra realidad posible y los delirios, otra razón.

Al fin y al cabo, somos lo que hacemos para cambiar lo que somos. La identidad no es una pieza de museo, quietecita en la vitrina, sino la siempre asombrosa síntesis de las contradicciones nuestras de cada día.

En esa fe, fugitiva, creo. Me resulta la única fe digna de confianza, por lo mucho que se parece al bicho humano, jodido pero sagrado, y a la loca aventura de vivir en el mundo.

Crónica de la ciudad de México

MEDIO siglo después del nacimiento de Superman en Nueva York, Superbarrio anda por las calles y las azoteas de la ciudad de México. El prestigioso norteamericano de acero, símbolo universal del poder, vive en una ciudad llamada Metrópoli. Superbarrio, cualunque mexicano de carne y hueso, héroe del pobrerío, vive en un suburbio llamado Nezahualcóyotl.

Superbarrio tiene barriga y piernas chuecas. Usa máscara roja y capa amarilla. No lucha contra momias, fantasmas ni vampiros. En una punta de la ciudad enfrenta a la policía y salva del desalojo a unos muertos de hambre; en la otra punta, al mismo tiempo, encabeza una manifestación por los derechos de la mujer o contra el envenenamiento del aire; y en el centro, mientras tanto, invade el Congreso Nacional y lanza una arenga denunciando las cochinadas del gobierno.

Contrasímbolos

POR arte de alquimia o diablura popular, los símbolos se desenemigan y el veneno se convierte en pan.

En La Habana, a un paso de la Casa de las Américas, hay un raro monumento: un par de zapatos de bronce en lo alto de un gran pedestal.

Los solitarios zapatos pertenecían al servicial Tomás Estrada Palma. El pueblo en furia volteó su estatua y eso fue lo único que quedó.

Mientras el siglo nacía, Estrada Palma había sido el primer presidente de Cuba, bajo la ocupación colonial de los Estados Unidos.

Paradojas

SI la contradicción es el pulmón de la historia, la paradoja ha de ser, se me ocurre, el espejo que la historia usa para tomarnos el pelo.

Ni el propio hijo de Dios se salvó de la paradoja. Él eligió, para nacer, un desierto subtropical donde casi nunca nieva, pero la nieve se convirtió en un símbolo universal de la Navidad desde que Europa decidió europear a Jesús. Y para más *inri,* el nacimiento de Jesús es, hoy por hoy, el negocio que más dinero da a los mercaderes que Jesús había expulsado del templo.

Napoleón Bonaparte, el más francés de los franceses, no era francés. No era ruso José Stalin, el más ruso de los rusos; y el más alemán de los alemanes, Adolfo Hitler, había nacido en Austria. Margherita Sarfatti, la mujer más amada por el antisemita Mussolini, era judía. José Carlos Mariátegui, el más marxista de los marxistas latinoamericanos, creía fervorosamente en Dios. El Che Guevara había sido declarado *completamente inepto para la vida militar* por el ejército argentino.

De manos de un escultor llamado Aleijadinho, que era el más feo de los brasileños, nacieron las más altas hermosuras del Brasil. Los negros norteamericanos, los más oprimidos, crearon el *jazz*, que es la más libre de las músicas. En el encierro de una cárcel fue concebido don Quijote, el más andante de los caballeros. Y para colmo de paradojas, don Quijote nunca dijo su frase más célebre. Nunca dijo: *Ladran, Sancho, señal que cabalgamos.*

«Te noto nerviosa», dice el histérico. «Te odio», dice la enamorada. «No habrá devaluación», dice, en vísperas de la devaluación, el ministro de Economía. «Los militares respetan la Constitución», dice, en vísperas del golpe de Estado, el ministro de Defensa.

En su guerra contra la revolución sandinista, el gobierno de los Estados Unidos coincidía, paradójicamente, con el Partido Comunista de Nicaragua. Y paradójicas habían sido, al fin y al cabo, las barricadas sandinistas durante la dictadura de Somoza: las barricadas, que cerraban la calle, abrían el camino.

El sistema/1

LOS funcionarios no funcionan.
Los políticos hablan pero no dicen.
Los votantes votan pero no eligen.
Los medios de información desinforman.
Los centros de enseñanza enseñan a ignorar.
Los jueces condenan a las víctimas.
Los militares están en guerra contra sus compatriotas.
Los policías no combaten los crímenes, porque están ocupados en cometerlos.
Las bancarrotas se socializan, las ganancias se privatizan.
Es más libre el dinero que la gente.
La gente está al servicio de las cosas.

Elogio del sentido común

AL amanecer de un día de fines de 1985, las radios colombianas informaron:

—*La ciudad de Armero ha sido borrada del mapa.*

El volcán vecino la mató. Nadie pudo correr más rápido que la avalancha de lodo hirviente: una ola grande como el cielo y caliente como el infierno atropelló a la ciudad, echando humo y rugiendo furias de mala bestia, y se tragó a treinta mil personas y a todo lo demás.

El volcán venía avisando desde hacía un año. Un año entero estuvo echando fuego, y cuando ya no podía esperar más, descargó sobre la ciudad un bombardeo de truenos y una lluvia de ceniza, para que escucharan los sordos y vieran los ciegos tanta advertencia. Pero el alcalde decía que el Superior Gobierno decía que no hay motivos de alarma, y el cura decía que el obispo decía que Dios se está ocupando del asunto, y los geólogos y los vulcanólogos decían que todo está bajo control y fuera de peligro.

La ciudad de Armero murió de civilización. No había cumplido, todavía, un siglo de vida. No tenía himno ni escudo.

Los indios/1

VINIENDO desde Temuco, me adormezco en el viaje.

Súbitamente, me despiertan los fulgores del paisaje. El valle de Repocura aparece y resplandece ante mis ojos, como si alguien hubiera descorrido, de repente, el telón de otro mundo.

Pero estas tierras ya no son, como antes, de todos y de nadie. Un decreto de la dictadura de Pinochet ha roto las comunidades, obligando a los indios a la soledad. Ellos insisten, sin embargo, en juntar sus pobrezas, y todavía trabajan juntos, callan juntos, dicen juntos:

—*Ustedes llevan quince años de dictadura* —explican a mis amigos chilenos—. *Nosotros llevamos cinco siglos.*

Nos sentamos en círculo. Estamos reunidos en un centro médico que no tiene, ni jamás tuvo, médico, ni practicante, ni enfermero, ni nada.

—*Una es para morir, no más* —dice una de las mujeres.

Los indios, culpables de ser incapaces de propiedad privada, no existen.

En Chile no hay indios: sólo hay chilenos —dicen los carteles del gobierno.

Los indios/2

EL lenguaje como traición: les gritan *verdugos.* En el Ecuador, los verdugos llaman verdugos a sus víctimas:

—*¡Indios verdugos!* —les gritan.

De cada tres ecuatorianos, uno es indio. Los otros dos le cobran, cada día, la derrota histórica.

—*Somos los vencidos. Nos ganaron la guerra. Nosotros perdimos por creerles. Por eso* —me dice Miguel, nacido en lo hondo de la selva amazónica.

Los tratan como a los negros en Sudáfrica: los indios no pueden entrar a los hoteles ni a los restaurantes.

—*En la escuela me metían palo cuando hablaba nuestra lengua* —me cuenta Lucho, nacido al sur de la sierra.

—*Mi padre me prohibía hablar quichua. Es por tu bien, me decía* —recuerda Rosa, la mujer de Lucho.

Rosa y Lucho viven en Quito. Están acostumbrados a escuchar:

—*Indio de mierda.*

Los indios son tontos, vagos, borrachos. Pero el sistema que los desprecia, desprecia lo que ignora, porque ignora lo que teme. Tras la máscara del desprecio, asoma el pánico: estas voces antiguas, porfiadamente vivas, ¿qué dicen? ¿Qué dicen cuando hablan? ¿Qué dicen cuando callan?

Las tradiciones futuras

HAY un único lugar donde ayer y hoy se encuentran y se reconocen y se abrazan, y ese lugar es mañana.

Suenan muy futuras ciertas voces del pasado americano muy pasado. Las antiguas voces, pongamos por caso, que todavía nos dicen que somos hijos de la tierra, y que la madre no se vende ni se alquila. Mientras llueven pájaros muertos sobre la ciudad de México, y se convierten los ríos en cloacas, los mares en basureros y las selvas en desiertos, esas voces porfiadamente vivas nos anuncian otro mundo que no es este mundo envenenador del agua, el suelo, el aire y el alma.

También nos anuncian otro mundo posible las voces antiguas que nos hablan de comunidad. La comunidad, el modo comunitario de producción y de vida, es la más remota tradición de las Américas, la más americana de todas: pertenece a los primeros tiempos y a las primeras gentes, pero también pertenece a los tiempos que vienen y presiente un nuevo Nuevo Mundo. Porque nada hay menos foráneo que el socialismo en estas tierras nuestras. Foráneo es, en cambio, el capitalismo: como la viruela, como la gripe, vino de afuera.

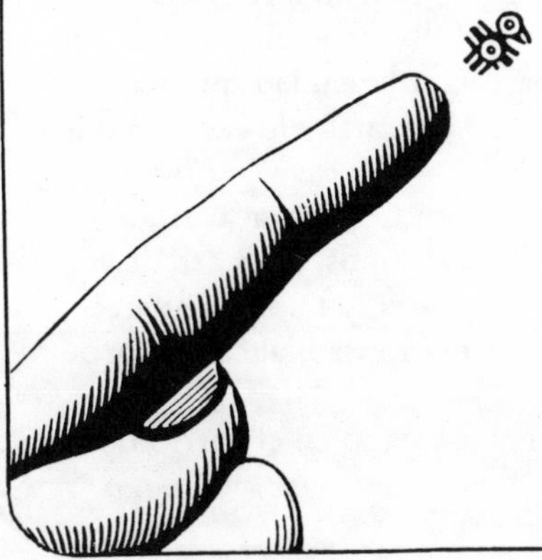

El reino de las cucarachas

CUANDO yo visité a Cedric Belfrage en Cuernavaca, ya la ciudad de Los Angeles contenía dieciséis millones de persomóviles, gente con ruedas en lugar de piernas, así que no se parecía mucho a la ciudad que él había conocido cuando llegó a Hollywood en la época del cine mudo, y ni siquiera se parecía a la ciudad que Cedric todavía amaba cuando el senador MacCarthy lo expulsó durante la cacería de brujas.

Desde la expulsión, Cedric vive en Cuernavaca. Algunos amigos, sobrevivientes de los viejos tiempos, aparecen de vez en cuando en su casa amplia y luminosa, y también aparece, de vez en cuando, una misteriosa mariposa blanca que bebe tequila.

Yo venía de Los Angeles y había estado en el barrio don-

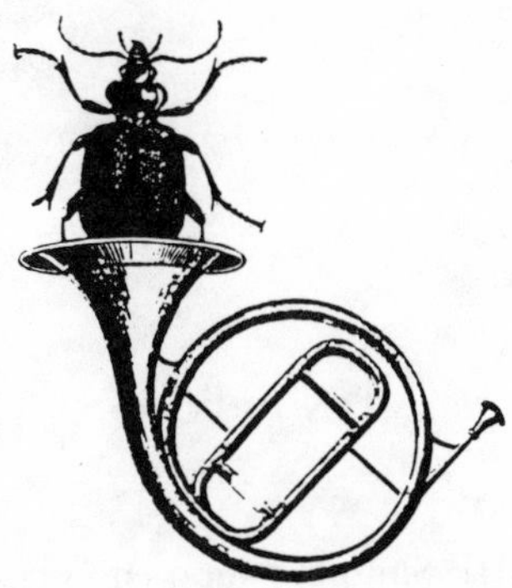

de Cedric vivía, pero él no me preguntó por Los Angeles. Los Angeles no le interesaba, o él hacía como que no le interesaba. En cambio, me preguntó por mis días en Canadá, y nos pusimos a hablar de la lluvia ácida. Los gases venenosos de las fábricas, devueltos a la tierra desde las nubes, ya habían exterminado catorce mil lagos en Canadá. Ya no había vida ninguna, ni plantas, ni peces, en esos catorce mil lagos. Yo había visto una pequeña parte de esa catástrofe.

El viejo Cedric me miró con sus grandes ojos transparentes y simuló arrodillarse ante quienes van a reinar sobre la tierra:

—*Los seres humanos hemos abdicado el planeta* —proclamó— *en favor de las cucarachas.*

Entonces arrimó la botella y llenó los vasos:

—*Un traguito, mientras se pueda.*

Los indios/3

JEAN-MARIE Simon lo supo en Guatemala. Ocurrió a fines de 1983, en una aldea llamada Tabil, en el sur del Quiché.

Los militares venían cumpliendo su campaña de aniquilación de las comunidades indígenas. Habían borrado del mapa a cuatrocientas aldeas en menos de tres años. Quemaban plantíos, mataban indios: quemaban hasta la raíz, mataban hasta los niños. *Vamos a dejarlos sin semilla,* anunciaba el coronel Horacio Maldonado Shadd.

Y así llegaron, una tarde, a la aldea de Tabil.

Venían arrastrando cinco prisioneros, atados de pies y manos y desfigurados por los golpes. Los cinco eran de la aldea, allí nacidos, allí vividos, allí multiplicados, pero el oficial dijo que esos eran cubanos enemigos de la patria: la comunidad debía resolver qué castigo merecían, y ejecutar el castigo. Por si resolvían fusilarlos, les dejaba las armas ya cargadas. Y dijo que les daba plazo hasta mañana al mediodía.

En asamblea, los indios discutieron:

—*Estos hombres son nuestros hermanos. Estos hombres son inocentes. Si no los matamos, los soldados nos matan.*

La noche entera pasaron discutiendo. Los prisioneros, en el centro de la reunión, escuchaban.

Llegó el amanecer y todos estaban como al principio. No habían llegado a ninguna decisión y se sentían cada vez más confusos.

Entonces pidieron ayuda a los dioses: a los dioses mayas, y al dios de los cristianos.

En vano esperaron la respuesta. Ningún dios dijo nada. Todos los dioses estaban mudos.

Mientras tanto, los soldados esperaban, en algún monte de los alrededores.

La gente de Tabil veía cómo el sol se iba alzando, implacable, hacia lo alto del cielo. Los prisioneros, de pie, callaban.

Poco antes del mediodía, los soldados escucharon los balazos.

Los indios/4

EN la isla de Vancouver, cuenta Ruth Benedict, los indios celebraban torneos para medir la grandeza de los príncipes. Los rivales competían destruyendo sus bienes. Arrojaban al fuego sus canoas, su aceite de pescado y sus huevos de salmón; y desde un alto promontorio echaban a la mar sus mantas y sus vasijas.

Vencía el que se despojaba de todo.

La cultura del terror/1

LA Sociedad Antropológica de París los clasificaba como a insectos: el color de la piel de los indios huitotos correspondía a los números 29 y 30 de su escala cromática.

La Peruvian Amazon Company los cazaba como a fieras: los indios huitotos eran la mano de obra esclava que daba caucho al mercado mundial. Cuando los indios huían de las plantaciones y la empresa los atrapaba, los envolvía en una bandera del Perú empapada en querosén y los quemaba vivos.

Michael Taussig ha estudiado la cultura del terror que la civilización capitalista aplicaba en la selva amazónica a principios del siglo veinte. La tortura no era un método para arrancar información, sino una ceremonia de confirmación del poder. En un largo y solemne ritual, a los indios rebeldes les cortaban la lengua y *después* los torturaban para obligarlos a hablar.

La cultura del terror/2

LA extorsión,
el insulto,
la amenaza,
el coscorrón,
la bofetada,
la paliza,
el azote,
el cuarto oscuro,
la ducha helada,
el ayuno obligatorio,
la comida obligatoria,
la prohibición de salir,
la prohibición de decir lo que se piensa,
la prohibición de hacer lo que se siente
y la humillación pública
son algunos de los métodos de penitencia y tortura tradicionales en la vida de familia. Para castigo de la desobediencia y escarmiento de la libertad, la tradición familiar perpetúa una cultura del terror que humilla a la mujer, enseña a los hijos a mentir y contagia la peste del miedo.

—*Los derechos humanos tendrían que empezar por casa* —me comenta, en Chile, Andrés Domínguez.

La cultura del terror/3

SOBRE la niña ejemplar:

Una niña juega con dos muñecas y las regaña para que se queden quietas. Ella también parece una muñeca, por lo linda y buena que es y porque a nadie molesta.

(Del libro *Adelante*, de J. H. Figueira, que fue texto de enseñanza en las escuelas del Uruguay hasta hace pocos años.)

La cultura del terror/4

FUE en un colegio de curas, en Sevilla. Un niño de nueve años, o diez, estaba confesando sus pecados por vez primera. El niño confesó que había robado caramelos, o que había mentido a la mamá, o que había copiado al vecino de pupitre, o quizá confesó que se había masturbado pensando en la prima. Entonces, desde la oscuridad del confesionario emergió la mano del cura, que blandía una cruz de bronce. El cura obligó al niño a besar a Jesús crucificado, y mientras le golpeaba la boca con la cruz, le decía:

—*Tú lo mataste, tú lo mataste...*

Julio Vélez era aquel niño andaluz arrodillado. Han pasado muchos años. Él nunca pudo arrancarse eso de la memoria.

La cultura del terror/5

A Ramona Caraballo la regalaron no bien supo caminar.

Allá por 1950, siendo una niña todavía, ella estaba de esclavita en una casa de Montevideo. Hacía todo, a cambio de nada.

Un día llegó la abuela, a visitarla. Ramona no la conocía, o no la recordaba. La abuela llegó desde el campo, muy apurada porque tenía que volverse en seguida al pueblo. Entró, pegó tremenda paliza a su nieta y se fue.

Ramona quedó llorando y sangrando.

La abuela le había dicho, mientras alzaba el rebenque:

—No te pego por lo que hiciste. Te pego por lo que vas a hacer.

La cultura del terror/6

PEDRO Algorta, abogado, me mostró el gordo expediente del asesinato de dos mujeres. El doble crimen había sido a cuchillo, a fines de 1982, en un suburbio de Montevideo.

La acusada, Alma Di Agosto, había confesado. Llevaba presa más de un año; y parecía condenada a pudrirse de por vida en la cárcel.

Según es costumbre, los policías la habían violado y la habían torturado. Al cabo de un mes de continuas palizas, le habían arrancado varias confesiones. Las confesiones de Alma Di Agosto no se parecían mucho entre sí, como si ella hubiera cometido el mismo asesinato de muy diversas maneras. En cada confesión había personajes diferentes, pintorescos fantasmas sin nombre ni domicilio, porque la picana

eléctrica convierte a cualquiera en fecundo novelista; y en todos los casos la autora demostraba tener la agilidad de una atleta olímpica, los músculos de una fuerzuda de feria y la destreza de una matadora profesional. Pero lo que más sorprendía era el lujo de detalles: en cada confesión, la acusada describía con precisión milimétrica ropas, gestos, escenarios, situaciones, objetos...

Alma Di Agosto era ciega.

Sus vecinos, que la conocían y la querían, estaban convencidos de que ella era culpable:

—*¿Por qué?* —preguntó el abogado.

—*Porque lo dicen los diarios.*

—*Pero los diarios mienten* —dijo el abogado.

—*Es que también lo dice la radio* —explicaron los vecinos—. *¡Y la tele!*

La televisión/1

ERA una piojera de los suburbios, lo más barato que había en Santa Fe y en toda la República Argentina, un destartalado galpón que se caía a pedazos, pero Fernando Birri no se perdía ninguna de las películas o ceremonias que se celebraban en la oscuridad de aquel grandioso templo de su infancia.

En ese cine, el cine Doré, Fernando vio una vez unos episodios sobre los misterios del Antiguo Egipto. Había un faraón, sentado en su trono ante un estanque. Parecía dormido el faraón, pero con un dedo se enroscaba la barba. En eso, abría los ojos y hacía una señal. Entonces el mago del reino pronunciaba un conjuro y las aguas del estanque se alborotaban y se incendiaban. Cuando se apagaban las llamas y se serenaban las aguas, el faraón se inclinaba sobre el estanque. Allí, en las aguas transparentes, él veía todo lo que en ese momento estaba ocurriendo en Egipto y en el mundo.

Medio siglo después, evocando al faraón de su infancia, Fernando tuvo una certeza: aquel estanque mágico, donde se veía todo lo que pasaba lejos, era un televisor.

La televisión/2

LA televisión, ¿muestra lo que ocurre?

En nuestros países, la televisión muestra lo que ella quiere que ocurra; y nada ocurre si la televisión no lo muestra.

La televisión, esa última luz que te salva de la soledad y de la noche, *es* la realidad. Porque la vida es un espectáculo: a los que se portan bien, el sistema les promete un cómodo asiento.

La cultura del espectáculo

FUERA de la pantalla, el mundo es una sombra indigna de confianza.

Antes de la televisión, antes del cine, ya era así. Cuando Búfalo Bill agarraba algún indio distraído y conseguía matarlo, rápidamente procedía a arrancarle el cuero cabelludo y los plumajes y demás trofeos y de un galope llegaba desde el Lejano Oeste a los teatros de Nueva York, donde él mismo representaba la heroica gesta que acababa de protagonizar. Entonces, cuando se abría el telón y Búfalo Bill alzaba su cuchillo ensangrentado en el escenario, a la luz de las candilejas, entonces ocurría, por primera vez ocurría, de veras ocurría, la realidad.

La televisión/3

LA tele dispara imágenes que reproducen el sistema y voces que le hacen eco; y no hay rincón del mundo que ella no alcance. El planeta entero es un vasto suburbio de Dallas. Nosotros comemos emociones importadas como si fueran salchichas en lata, mientras los jóvenes hijos de la televisión, entrenados para contemplar la vida en lugar de hacerla, se encogen de hombros.

En América Latina, la libertad de expresión consiste en el derecho al pataleo en alguna radio y en periódicos de escaso tiraje. A los libros, ya no es necesario que los prohíba la policía: los prohíbe el precio.

La dignidad del arte

YO escribo para quienes no pueden leerme. Los de abajo, los que esperan desde hace siglos en la cola de la historia, no saben leer o no tienen con qué.

Cuando me viene el desánimo, me hace bien recordar una lección de dignidad del arte que recibí hace años, en un teatro de Asís, en Italia. Habíamos ido con Helena a ver un espectáculo de pantomima, y no había nadie. Ella y yo éramos los únicos espectadores. Cuando se apagó la luz, se nos sumaron el acomodador y la boletera. Y, sin embargo, los actores, más numerosos que el público, trabajaron aquella noche como si estuvieran viviendo la gloria de un estreno a sala repleta. Hicieron su tarea entregándose enteros, con todo, con alma y vida; y fue una maravilla.

Nuestros aplausos retumbaron en la soledad de la sala. Nosotros aplaudimos hasta despellejarnos las manos.

La televisión/4

ME lo contó Rosa María Mateo, una de las figuras más populares de la televisión española. Una mujer le había escrito una carta, desde algún pueblito perdido, pidiéndole que por favor le dijera la verdad:

—*Cuando yo la miro, ¿usted me mira?*

Rosa María me lo contó, y me dijo que no sabía qué contestar.

La televisión/5

EN los veranos, la televisión uruguaya dedica largos programas a Punta del Este.

Más interesadas en las cosas que en la gente, las cámaras llegan al éxtasis cuando exhiben las casas de los ricos en vacaciones. Estas mansiones ostentosas se parecen a los mausoleos de mármol y bronce en el cementerio de La Recoleta, que es la Punta del Este de después.

Por la pantalla desfilan los elegidos y sus símbolos de poder. El sistema, que edifica la pirámide social eligiendo al revés, recompensa a poca gente. He aquí a los premiados: son los usureros de buenas uñas y los mercaderes de buenos dientes, los políticos de creciente nariz y los doctores de espaldas de goma.

La televisión se propone adular a los que mandan en el río de la Plata, pero sin quererlo cumple una ejemplar función educativa: nos muestra las altas cumbres y en ellas delata la tilinguería y el mal gusto de los triunfantes cazadores de dinero.

Debajo de la aparente estupidez, hay verdadera estupidez.

Celebración de la desconfianza

EL primer día de clase, el profesor trajo un frasco enorme:

—*Esto está lleno de perfume* —dijo a Miguel Brun y a los demás alumnos—. *Quiero medir la percepción de cada uno de ustedes. A medida que vayan sintiendo el olor, levanten la mano.*

Y destapó el frasco. Al ratito nomás, ya había dos manos levantadas. Y luego cinco, diez, treinta, todas las manos levantadas.

—*¿Me permite abrir la ventana, profesor?* —suplicó una alumna, mareada de tanto olor a perfume, y varias voces le hicieron eco. El fuerte aroma, que pesaba en el aire, ya se había hecho insoportable para todos.

Entonces el profesor mostró el frasco a los alumnos, uno por uno. El frasco estaba lleno de agua.

La cultura del terror/7

EL colonialismo visible te mutila sin disimulo: te prohíbe decir, te prohíbe hacer, te prohíbe ser. El colonialismo invisible, en cambio, te convence de que la servidumbre es tu destino y la impotencia tu naturaleza: te convence de que *no se puede* decir, *no se puede* hacer, *no se puede* ser.

La alienación/1

ALLÁ en los años mozos, fui cajero de banco.

Recuerdo, entre los clientes, a un fabricante de camisas. El gerente del banco le renovaba los préstamos por pura piedad. El pobre camisero vivía en perpetua zozobra. Sus camisas no estaban mal, pero nadie las compraba.

Una noche, el camisero fue visitado por un ángel. Al amanecer, cuando despertó, estaba iluminado. Se levantó de un salto.

Lo primero que hizo fue cambiar el nombre de su empresa, que pasó a llamarse Uruguay Sociedad Anónima, patriótico título cuyas siglas son: U.S.A. Lo segundo que hizo fue pegar en los cuellos de sus camisas una etiqueta que decía, y no mentía: *Made in U.S.A.* Lo tercero que hizo fue vender camisas a lo loco. Y lo cuarto que hizo fue pagar lo que debía y ganar mucho dinero.

La alienación/2

CREEN los que mandan que mejor es quien mejor copia. La cultura oficial exalta las virtudes del mono y del papagayo. La alienación en América Latina: un espectáculo de circo. Importación, impostación: nuestras ciudades están llenas de arcos de triunfo, obeliscos y partenones. Bolivia no tiene mar, pero tiene almirantes disfrazados de lord Nelson. Lima no tiene lluvia, pero tiene techos a dos aguas y con canaletas. En Managua, una de las ciudades más calientes del mundo, condenada al hervor perpetuo, hay mansiones que ostentan soberbias estufas de leña, y en las fiestas de Somoza las damas de sociedad lucían estolas de zorro plateado.

La alienación/3

ALAISTAIR Reid escribe en *The New Yorker,* pero va poco a Nueva York.

Él prefiere vivir en una perdida playa de la República Dominicana. En esa playa había desembarcado Cristóbal Colón, algunos siglos antes, en una de sus excursiones al Japón, y desde aquellos tiempos nada ha cambiado.

De vez en cuando, el cartero asoma entre los árboles. El cartero viene doblado bajo la carga. Don Alaistair recibe montañas de correspondencia. Desde los Estados Unidos, lo bombardean las ofertas comerciales, folletos, catálogos, lujuriosas tentaciones de la civilización del consumo exhortando a comprar.

Una vez, entre el mucho papelerío, llegó la propaganda de una máquina de remar. Don Alaistair la mostró a sus vecinos, los pescadores.

—*¿Bajo techo? ¿Se usa bajo techo?*

Los pescadores no lo podían creer:

—*¿Sin agua? ¿Se rema sin agua?*

No lo podían creer, no lo podían entender:

—*¿Y sin peces? ¿Y sin sol? ¿Y sin cielo?*

Los pescadores dijeron a don Alaistair que ellos se levantaban cada noche, mucho antes del alba, y se metían mar adentro y echaban sus redes mientras el sol se alzaba en el horizonte, y que ésa era su vida, y que esa vida les gustaba, pero que remar era la única parte jodida de todo el asunto:

—*Remar es lo único que odiamos* —dijeron los pescadores.

Entonces don Alaistair les explicó que la máquina de remar servía para hacer gimnasia.

—*¿Para hacer qué?*

—*Gimnasia.*

—*¡Ah! Y gimnasia, ¿qué es?*

Dicen las paredes/3

EN Montevideo, en el barrio Brazo Oriental:

Estamos aquí sentados, mirando cómo nos matan los sueños.

Y en la escollera, frente al puerto montevideano del Buceo:

Mojarra viejo: no se puede vivir con miedo toda la vida.

En letras rojas, a lo largo de toda una cuadra de la avenida Colón, en Quito:

¿Y si entre todos le damos una patada a esta gran burbuja gris?

Nombres/1

A la casa de los nombres acudían, queriendo llamarse, las personas y los bichos y las cosas. Los nombres tintineaban, ofreciéndose: prometían buenos sones y ecos largos. La casa estaba siempre llena de personas y bichos y cosas probándose nombres. Helena soñó con la casa de los nombres y allí descubrió a la perrita Pepa Lumpen, que andaba en busca de un nombre más presentable.

Nombres/2

ARTURO Alape me cuenta que Manuel Marulanda Vélez, el famoso guerrillero colombiano, no se llamaba así. Hace cuarenta años, cuando se alzó, él se llamaba Pedro Antonio Marín. Por entonces, Marulanda era otro: negro de piel, grandote de tamaño, albañil de oficio y zurdo de ideas. Cuando los policías golpearon a Marulanda hasta matarlo, sus compañeros se reunieron en asamblea y decidieron que Marulanda no se podía acabar. Por unanimidad le dieron el nombre a Marín, que desde entonces lo lleva.

También el mexicano Pancho Villa llevaba el nombre de un amigo que le mató la policía.

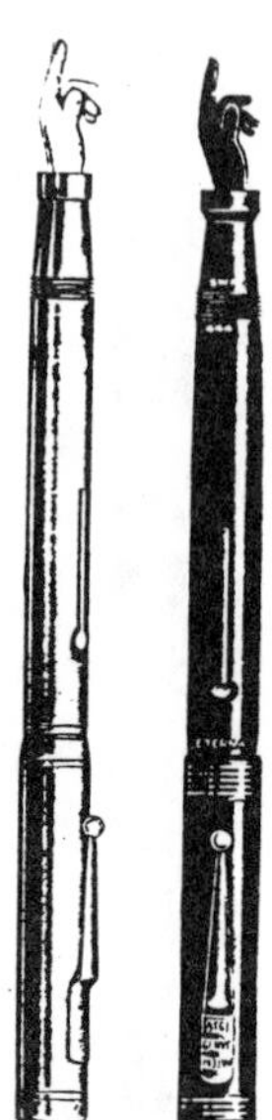

Nombres/3

ME firmo Galeano, que es mi apellido materno, desde los tiempos en que comencé a escribir. Esto ocurrió cuando yo tenía diecinueve años, o quizá apenas unos días, porque llamarme así fue una manera de nacer de nuevo.

Antes, cuando era un chiquilín y publicaba dibujos, los firmaba Gius, por la difícil pronunciación española de mi apellido paterno. (Hughes se llamaba mi tatarabuelo galés, que a los quince años se echó a la mar en el puerto de Liverpool y llegó al Caribe, a Santo Domingo, y tiempo después a Río de Janeiro, y finalmente a Montevideo. Allí arrojó su anillo de masón al arroyo Miguelete, y en los campos de Paysandú clavó las primeras alambradas y se hizo dueño de tierras y de gentes, y hace más de un siglo murió, mientras traducía al inglés el *Martín Fierro*.)

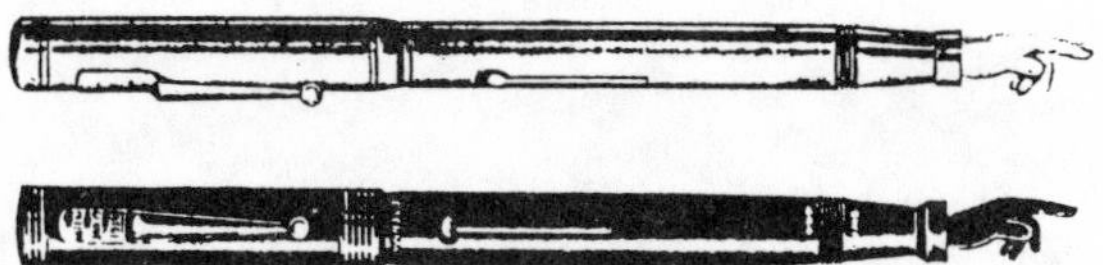

A lo largo de los años he escuchado las más diversas versiones sobre este asuntito de mi nombre elegido. La versión más necia, que ofende a la inteligencia, me atribuye una intención anti-imperialista. La versión más cómica supone fines de conspiración o contrabando. Y la versión más jodida me convierte en la oveja roja de mi familia: me inventa un padre enemigo y oligárquico, en lugar del padre real que tengo, que es un tipo macanudo que siempre se ha ganado la vida con su trabajo o con la buena suerte que tiene en la quiniela.

El pintor japonés Hokusai cambió de nombre sesenta veces para celebrar sus sesenta nacimientos. En el Uruguay, país formal, lo hubieran enjaulado por loco o alevoso simulador de identidad.

La máquina de retroceder

A principios del siglo veinte, el Uruguay era un país del siglo veintiuno. A fines del siglo veinte, el Uruguay es un país del siglo diecinueve.

En el reino del aburrimiento, las buenas costumbres prohíben todo lo que la rutina no impone. Los hombres sueñan con jubilarse y las mujeres sueñan con casarse. Los jóvenes, culpables del delito de ser jóvenes, sufren pena de soledad o destierro, a menos que puedan probar que son viejos.

La pálida

MIS certezas desayunan dudas. Y hay días en que me siento extranjero en Montevideo y en cualquier otra parte. En esos días, días sin sol, noches sin luna, ningún lugar es mi lugar y no consigo reconocerme en nada, ni en nadie. Las palabras no se parecen a lo que nombran y ni siquiera se parecen a su propio sonido. Entonces no estoy donde estoy. Dejo mi cuerpo y me voy, lejos, a ninguna parte, y no quiero estar con nadie, ni siquiera conmigo, y no tengo, ni quiero tener, nombre ninguno: entonces pierdo las ganas de llamarme o ser llamado.

La mala racha

MIENTRAS dura la mala racha, pierdo todo. Se me caen las cosas de los bolsillos y de la memoria: pierdo llaves, lapiceras, dinero, documentos, nombres, caras, palabras. Yo no sé si será gualicho de alguien que me quiere mal y me piensa peor, o pura casualidad, pero a veces el bajón demora en irse y yo ando de pérdida en pérdida, pierdo lo que encuentro, no encuentro lo que busco, y siento mucho miedo de que se me caiga la vida en alguna distracción.

Onetti

YO no tenía ni veinte años y andaba jugando a la gallina ciega en las noches del mundo.

Quería pintar, y no podía. Quería escribir, y no sabía. A veces escribía algún cuento, y a veces se lo llevaba a Juan Carlos Onetti.

El estaba siempre en cama, por pereza, por tristeza, rodeado de pirámides de puchos, tras una muralla de botellas vacías. Yo me sentía en la obligación de emitir frases inteligentísimas. El maestro Onetti miraba al techo y no abría la boca más que para bostezar, fumar y beber, lenta sueñera, pitadas lentas, tragos lentos, y quizá mascullaba algún fruto de sus prolongadas meditaciones sobre la situación nacional e internacional:

—*La cosa se jodió* —decía— *el día que los milicos y las mujeres aprendieron a leer.*

Sentado a su orilla, yo esperaba que él me dijera que aquellos cuentitos míos eran indudablemente geniales, pero él callaba y a lo sumo gruñía o me estimulaba así:

—*Mirá, pibe. Si Beethoven hubiera nacido en Tacuarembó, hubiera llegado a ser director de la banda del pueblo.*

Arguedas

YO estaba regresando a Montevideo, al cabo de un viaje. De dónde venía, no recuerdo, pero sí recuerdo que en el avión había leído *El zorro de arriba y el zorro de abajo,* la novela final de José María Arguedas. Arguedas había empezado a escribir ese adiós a la vida el día que decidió matarse, y la novela era su largo y desesperado testamento. Yo la leí y le creí, desde la primera página le creí: aunque no conocía a ese hombre, le creí como si fuera mi siempre amigo.

En *El zorro,* Arguedas había dedicado a Onetti el más alto elogio que un escritor pueda brindar a otro escritor: había escrito que estaba en Santiago de Chile, pero que en realidad quería estar en Montevideo, *para encontrarse con Onetti y apretarle la mano con que escribe.*

En casa de Onetti, se lo comenté. Él no sabía. La novela, recién publicada, no había llegado todavía a Montevideo. Se lo comenté, y Onetti quedó callado. Hacía bien poco que Arguedas se había partido la cabeza de un balazo.

Los dos estuvimos mucho tiempo, minutos o años, en silencio. Después yo dije algo, pregunté algo, y Onetti no contestó. Entonces alcé los ojos y le vi aquel tajo de humedad que le atravesaba la cara.

Celebración del silencio/1

HACÍA años que yo no veía a Fernando Rodríguez. El viento del exilio, que tanto separa, nos juntó. Lo encontré como siempre, destartalado y rezongón:

—*Estás igualito* —le dije.

Me dijo que todavía le quedaban algunos años, no muchos:

—*No hay que pasar de los setenta, porque entonces te enviciás y ya no querés morirte.*

Esa tarde nos dejamos caminar, sin rumbo, entre la mar y las vías del tren, allá en Calella de la Costa. Íbamos lentos, callando juntos, y cerquita de la estación nos sentamos a tomar un café. Entonces Fernando comentó algo sobre el aljibe donde los militares tenían preso a Raúl Sendic, el tupamaro, y juntos evocamos a Raúl y a su manera de ser. Fernando me preguntó:

—*¿Leíste lo que publicaron los diarios, cuando cayó?*

Los diarios habían informado que él había salido de su escondrijo pistola en mano, abriendo fuego y gritando: «¡Yo soy Rufo y no me entrego!»

—*Sí* —le dije—. *Lo leí.*

—*Ah. ¿Y lo creíste?*

—*No.*

—*Yo tampoco* —dijo Fernando—. *Ese, cae callado.*

Celebración del silencio/2

EL cantor Braulio López, que es la mitad del dúo Los Olimareños, llegó a Barcelona, llegó al exilio. Traía rota una mano.

Braulio había estado preso, en la cárcel de Villa Devoto, por andar con tres libros: una biografía de José Artigas, unos poemas de Antonio Machado y *El principito,* de Saint-Exupéry. Cuando ya estaban por liberarlo, un guardián había entrado en su celda y había preguntado:

—*¿Vos sos el guitarrero?*

Y le había pisado la mano izquierda con la bota.

Le ofrecí una entrevista. Esa historia podía interesar a la revista *Triunfo*. Pero Braulio se rascó la cabeza, pensó un rato y dijo:

—*No.*

Y me explicó:

—*Esto de la mano se va a componer, tarde o temprano. Y entonces yo voy a volver a tocar y a cantar. ¿Entendés? Yo no quiero desconfiar de los aplausos.*

Celebración de la voz humana/4

MANFRED Max-Neef, que vivió en el Uruguay hace más de veinte años, me comentó lo que más recordaba: que los perros ladraban sentados y que la gente tenía palabra.

Después, la dictadura militar restableció el orden, obligando a los uruguayos a mentir o callar. Yo no sé si los perros ladraban parados; pero tener palabra era no tener nada.

El sistema/2

TIEMPO de los camaleones: nadie ha enseñado tanto a la humanidad como estos humildes animalitos.

Se considera culto a quien bien oculta, se rinde culto a la cultura del disfraz. Se habla el doble lenguaje de los artistas del disimulo. Doble lenguaje, doble contabilidad, doble moral: una moral para decir, otra moral para hacer. La moral para hacer se llama realismo.

La ley de la realidad es la ley del poder. Para que la realidad no sea irreal, nos dicen los que mandan, la moral ha de ser inmoral.

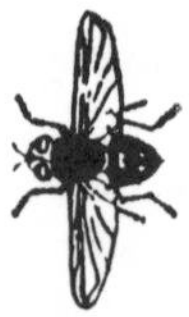

Celebración de las bodas de la palabra y el acto

LEO un artículo de un escritor de teatro, Arkadi Rajkin, publicado en una revista de Moscú. El poder burocrático, dice el autor, hace que jamás se encuentren los actos, las palabras y los pensamientos: los actos quedan en el lugar de trabajo, las palabras en las reuniones y los pensamientos en la almohada.

Buena parte de la fuerza del Che Guevara, pienso, esa misteriosa energía que va mucho más allá de su muerte y de sus errores, viene de un hecho muy simple: él fue un raro tipo que decía lo que pensaba y hacía lo que decía.

El sistema/3

QUIEN no se hace el vivo, va muerto. Estás obligado a ser jodedor o jodido, mentidor o mentido. Tiempo del qué me importa, el qué le vas a hacer, el no te metás, el sálvese quien pueda. Tiempo de los tramposos: la producción no rinde, la creación no sirve, el trabajo no vale.

En el río de la Plata, llamamos *bobo* al corazón. Y no porque se enamora: lo llamamos *bobo* por lo mucho que trabaja.

Elogio de la iniciativa privada

JESÚS te mira. Vayas donde vayas, sus ojos te siguen. La tecnología moderna ayuda al hijo de Dios a cumplir sus funciones de vigilancia universal. Tres capas de plástico polarizado, que bloquean sucesivamente el paso de la luz, le facilitan la tarea.

Allá por 1961 o 1962, una de estas imágenes de ojos corredizos llamó la atención de un periodista. Julio Tacovilla iba caminando por una calle cualquiera de Buenos Aires, cuando se sintió observado. Desde una vidriera, Jesús le había clavado los ojos. Retrocedió y la mirada de Jesús retrocedió con él. Se detuvo y la mirada se detuvo. Avanzó y la mirada avanzó.

Esta señal divina le cambió la vida y lo sacó de pobre.

Poco después, Tacovilla voló a Port-au-Prince, y por medio de la embajada de su país en Haití consiguió una audiencia con el presidente vitalicio Papa Doc Duvalier.

Llevaba un gran cuadro bajo el brazo:

—*Tengo algo que mostrarle, Excelencia* —dijo.

Era un retrato del dictador. Los ojos se movían.

—*Papa Doc te mira* —explicó Tacovilla.

Papa Doc asintió con la cabeza.

—*No está mal* —dijo, yendo y viniendo ante su propia imagen—. *¿Cuántos puede hacer?*

—*¿Cuánto puede pagar?*

—*Le pago lo que sea.*

Y así Haití se llenó de miradas vigilantes y el inquieto periodista se llenó de dinero.

El crimen perfecto

En Londres, es así: los radiadores devuelven calor a cambio de las monedas que reciben. Y en pleno invierno estaban unos exiliados latinoamericanos tiritando de frío, sin una sola moneda para poner a funcionar la calefacción de su apartamento.

Tenían los ojos clavados en el radiador, sin parpadear. Parecían devotos ante el tótem, en actitud de adoración; pero eran unos pobres náufragos meditando la manera de acabar con el Imperio Británico. Si ponían monedas de lata o cartón, el radiador funcionaría, pero el recaudador encontraría, luego, las pruebas de la infamia.

¿Qué hacer?, se preguntaban los exiliados. El frío los hacía temblar como malaria. Y en eso, uno de ellos lanzó un grito salvaje, que sacudió los cimientos de la civilización occidental. Y así nació la moneda de hielo, inventada por un pobre hombre helado.

De inmediato, pusieron manos a la obra. Hicieron moldes de cera, que reproducían las monedas británicas a la perfección; después llenaron de agua los moldes y los metieron en el congelador.

Las monedas de hielo no dejaban huellas, porque las evaporaba el calor.

Y así, aquel apartamento de Londres se convirtió en una playa del mar Caribe.

El exilio

LA dictadura militar me negaba el pasaporte, como a muchos miles de uruguayos, y yo estaba condenado a pena de trámite perpetuo en el Departamento de Extranjeros de la policía de Barcelona.

¿Profesión? *Escritor,* escribí, *de formularios.*

Aquel día, yo no daba más. Estaba harto de las colas de horas en la calle y harto de los burócratas a quienes ni siquiera podía verles la cara:

—*Esos formularios no sirven.*

—*Me los dieron aquí.*

—*¿Cuándo?*

—*La semana pasada.*

—*Ahora hay formularios nuevos.*

—*¿Me los puede dar?*

—*No tengo.*

—*¿Y dónde los consigo?*

—*No sé. Que pase el siguiente.*

Y después faltaban unos timbres, y en ningún estanco vendían esos timbres que faltaban, y yo había llevado dos fotos y eran tres, y las máquinas de sacar fotos funcionaban con monedas de veinticinco y ese día no había ni una sola moneda de veinticinco en toda la ciudad de Barcelona.

Ya estaba anocheciendo cuando por fin subí al tren, hacia mi casa de Calella de la Costa. Yo estaba reventado. Apenas me senté, me quedé dormido.

Me despertó un golpecito en el hombro. Abrí los ojos y vi a un tipo estrafalario, vestido con un pijama en harapos:

—*¡Pasaporte!...*

El loco había cortado en pedacitos una cochina hoja de periódico, y estaba repartiendo los trocitos, de vagón en vagón, entre los pasajeros del tren:

—*¡Pasaporte! ¡Pasaporte!...*

La civilización del consumo

A veces, al fin de la temporada, cuando los turistas se iban de Calella, se escuchaban aullidos desde el monte. Eran los clamores de los perros atados a los árboles.

Los turistas usaban a los perros, para alivio de la soledad, mientras duraban las vacaciones; y después, a la hora de partir, los ataban monte adentro, para que no los siguieran.

Crónica de la ciudad de Buenos Aires

A mediados de 1984, viajé al río de la Plata.

Hacía once años que faltaba de Montevideo; hacía ocho años que faltaba de Buenos Aires. De Montevideo me había marchado porque no me gusta estar preso; de Buenos Aires, porque no me gusta estar muerto. Pero ya en 1984 la dictadura militar argentina se había ido, dejando a su paso un imborrable rastro de sangre y mugre, y la dictadura militar uruguaya se estaba yendo.

Yo acababa de llegar a Buenos Aires. No había avisado a los amigos. Quería que los encuentros ocurrieran sin hacerlos.

Un periodista de la televisión holandesa, que me había acompañado en el viaje, me estaba entrevistando frente a la puerta de la que había sido mi casa. El periodista me preguntó qué se había hecho de un cuadro que yo tenía en mi casa, la pintura de un puerto para llegar y no para marcharse, un puerto para decir hola y no adiós, y yo empecé a contestarle con la mirada clavada en el ojo rojo de la cámara.

Le dije que no sabía adónde había ido a parar ese cuadro, ni adónde había ido a parar su autor, el negro Emilio, Emilio Casablanca: el cuadro y Emilio se me habían perdido en la niebla, como tantas otras gentes y cosas tragadas por aquellos años de terror y lejanía.

Mientras yo hablaba, advertí que una sombra venía caminando por detrás de la cámara y se quedaba a un costado, esperando. Cuando terminé, y el ojo rojo de la cámara se apagó, moví la cabeza y lo vi. En aquella ciudad de trece millones de habitantes, el negro Emilio había llegado hasta esa esquina, por pura casualidad, o como se llame eso, y estaba en aquel preciso lugar en el instante preciso. Nos abrazamos bailando, y después de mucho abrazo Emilio me contó que hacía dos semanas que venía soñando que yo volvía, noche tras noche, y que ahora no lo podía creer.

Y no lo creyó. Esa noche me llamó por teléfono al hotel y me preguntó si yo no era sueño o borrachera.

La querencia/1

EN Buenos Aires busqué el café que era mi café, y no lo encontré. Busqué el restorán donde yo comía caracú en inmensas fuentes a cualquier hora del día o de la noche, y tampoco estaba. Donde había estado mi cantina preferida, el Bachín, había un montón de escombros. Habían arrasado el Bachín, y con el Bachín habían matado el mercado donde yo siempre iba a comprar frutas y flores o por la pura fiesta de la nariz y los ojos. Alguien me dijo que el Bachín se había mudado, y que ahora tenía otro lugar y otro nombre.

Una noche fui. Me detuve ante la puerta de ese nuevo Bachín que ya no se llamaba así, dudando, que sí, que no, preguntándome si entrar no sería traición, cuando una súbita explosión ocurrió en el momento exacto en que abrí la puerta: saltaron los fusibles de la electricidad y todo quedó completamente a oscuras. Yo me dí vuelta y me alejé, caminando despacito.

Y así anduve un tiempo, doliendo olvidos, buscando lu-

gares y personas que no encontré, o no supe encontrar; y finalmente crucé el río, el río-mar, y entré en el Uruguay.

Los generales uruguayos tenían todavía el poder, ya casi yéndose, ya casi en los adioses del tiempo del terror: yo entré cruzando los dedos. Y tuve suerte.

Y caminando las calles de la ciudad donde nací, la fui reconociendo, y sentí que volvía sin haberme ido: Montevideo, que duerme su eterna siesta sobre las suaves colinas de la costa, indiferente al viento que la golpea y la llama: Montevideo, aburrida y entrañable, que en verano huele a pan y en invierno a humo. Y supe que yo andaba queriendo querencia, y que había llegado la hora del fin del exilio. Después de mucha mar, nada el salmón en busca de su río, y lo encuentra y lo remonta, guiado por el olor de las aguas, hasta el arroyo de su origen.

Entonces, cuando volví a Calella para decirle adiós, adiós a España, adiós y gracias, tuve un infarto.

La querencia/2

CUANDO llega la sequía, y se lleva las aguas del río Uruguay, la gente de Pueblo Federación regresa a su perdida querencia. Las aguas, al irse, desnudan un paisaje de la luna; y ellos vuelven.

Ellos viven ahora en un pueblo que también se llama Pueblo Federación, como se llamaba su viejo pueblo antes de que lo inundara la represa de Salto Grande y quedara hundido bajo las aguas. Del viejo pueblo ya no asoma ni la cruz en lo alto de la torre de la iglesia; y el pueblo nuevo es mucho más cómodo y mucho más lindo. Pero ellos vuelven al pueblo viejo que la sequía les devuelve mientras dura.

Ellos vuelven y ocupan las casas que fueron sus casas y que ahora son ruinas de guerra. Allí, donde la abuela murió y donde ocurrieron el primer gol y el primer beso, ellos hacen fuego para el mate y para el asado, mientras los perros escarban la tierra en busca de los huesos que habían escondido.

El tiempo

LA otra noche, me cuenta Alejandra Adoum, la madre de Alina se estaba preparando para salir. Alina la miraba, mientras la madre, sentada ante el espejo, se pintaba los labios, se dibujaba las cejas y se empolvaba la cara. Después la madre se probó un vestido, y otro, y se puso un collar de coral negro, y una peineta en el pelo, y toda ella irradiaba una luz limpia y perfumada. Alina no le quitaba los ojos de encima.

—*Cómo me gustaría tener tu edad* —dijo Alina.

—*En cambio, yo...* —sonrió la madre— *yo daría cualquier cosa por tener cuatro años, como tú.*

Aquella noche, al regreso, la madre la encontró despierta. Alina se abrazó fuerte a sus piernas.

—*Me das mucha pena, mamá* —dijo, sollozando.

Resurrecciones/1

INFARTO agudo de miocardio, zarpazo de la muerte al centro del pecho. Pasé dos semanas hundido en una cama de hospital, en Barcelona. Entonces sacrifiqué mi destartalada agenda Porky 2, que ya la pobre no daba más, y como quien no quiere la cosa, el cambio de libreta se convirtió en un repaso de los años transcurridos desde el sacrificio de la Porky 1. Mientras pasaba en limpio nombres y direcciones y teléfonos a la agenda nueva, yo iba pasando en limpio también el entrevero de los tiempos y las gentes que venía de vivir, un torbellino de alegrías y lastimaduras, todas muy, siempre muy, y eso fue un largo duelo de los muertos que muertos habían quedado en la zona muerta de mi corazón, y una larga, más larga celebración de los vivos que me encendían la sangre y me crecían el corazón sobrevivido. Y nada tenía de malo, y nada tenía de raro, que se me hubiera roto el corazón, de tanto usarlo.

La casa

1984 había sido un año de mierda. Antes del infarto, me habían operado la espalda; y Helena había perdido un niño a medio hacer. Cuando Helena perdió el niño, se nos secó el rosal de la terraza. Las demás plantas también murieron, todas, una tras otra, a pesar de que las regábamos cada día.

La casa parecía maldita. Y sin embargo, Nani y Alfredo Ahuerma habían estado allí, por unos días, y al irse habían escrito en el espejo:

En esta casa fuimos felices.

Y también nosotros habíamos encontrado la alegría en esa casa ahora jodida por la mala racha, y la alegría había sabido ser más poderosa que la duda y mejor que la memoria, así que esa casa entristecida, esa casa barata y fea, en un barrio barato y feo, era sagrada.

La pérdida

HELENA soñó que estaba en su infancia, y no veía nada. Manoteando en la oscuridad, ella pedía ayuda, pedía luz a gritos, pero nadie encendía las lámparas. En aquella negrura no podía ubicar sus cosas, que estaban desparramadas por toda la casa y por toda la ciudad, y ella buscaba lo suyo a tientas en la cerrazón y también buscaba algodón o trapos o lo que fuera, porque estaba perdiendo sangre a chorros entre las piernas, mucha sangre, cada vez más sangre, y aunque ella no veía nada, sentía aquel río rojo y espeso que se desprendía de su cuerpo y se perdía en las tinieblas.

El exorcismo

ROSARIO, la hechicera andaluza, llevaba muchos años peleando contra los demonios. El peor de los satanases había sido su suegro. Este malvado había muerto acostado en la cama, la noche que exclamó: *¡Me cago en Dios!* y el crucifijo de bronce se desprendió de la pared y le partió el cráneo.

Rosario se ofreció a desdiablarnos. Nos tiró a la basura nuestra bella máscara mexicana de Lucifer y desparramó una humareda de ruda, mejorana y laurel bendito. Después clavó en la puerta una herradura con las puntas hacia afuera, colgó algunos ajos y derramó, aquí y allá, puñaditos de sal y montones de fe.

—*Al mal tiempo, buena cara, y a las hambres, guitarrazos* —dijo.

Y dijo que ahora nos tocaba a nosotros, porque la suerte no ayuda si uno no la ayuda a ayudar.

Los adioses

LLEVÁBAMOS nueve años en la costa catalana y ya nos íbamos, faltaban dos o tres días para el fin del exilio, cuando la playa amaneció toda cubierta de nieve. El sol encendía la nieve y alzaba, a la orilla de la mar, un gran fuego blanco que hacía llorar los ojos.

Era muy raro que nevara en la playa. Yo nunca lo había visto, y sólo algún viejo vecino del pueblo recordaba algo parecido, de tiempos remotos.

Se veía muy contenta la mar, lamiendo aquel inmenso helado, y esa alegría de la mar y esa blancura radiante fueron mis últimas imágenes de Calella de la Costa.

Yo quise responder a despedida tan bella, pero no se me ocurrió nada. Nada que hacer, nada que decir. Nunca he sido bueno para los adioses.

Los sueños del fin del exilio/1

HELENA soñó que quería cerrar la valija y no podía, y hacía fuerza con las dos manos, y apoyaba las rodillas sobre la valija, y se sentaba encima, y se paraba encima, y no había caso. La valija, que no se dejaba cerrar, chorreaba cosas y misterios.

Los sueños del fin del exilio/2

HELENA volvía a Buenos Aires, pero no sabía en qué idioma hablar ni con qué dinero pagar. Parada en la esquina de Pueyrredón y Las Heras esperaba que pasara el 60, que no venía, que nunca vendría.

Los sueños del fin del exilio/3

SE le habían roto los cristales de los anteojos y se le habían perdido las llaves. Ella buscaba las llaves por toda la ciudad, a tientas, en cuatro patas, y cuando por fin las encontraba, las llaves le decían que no servían para abrir sus puertas.

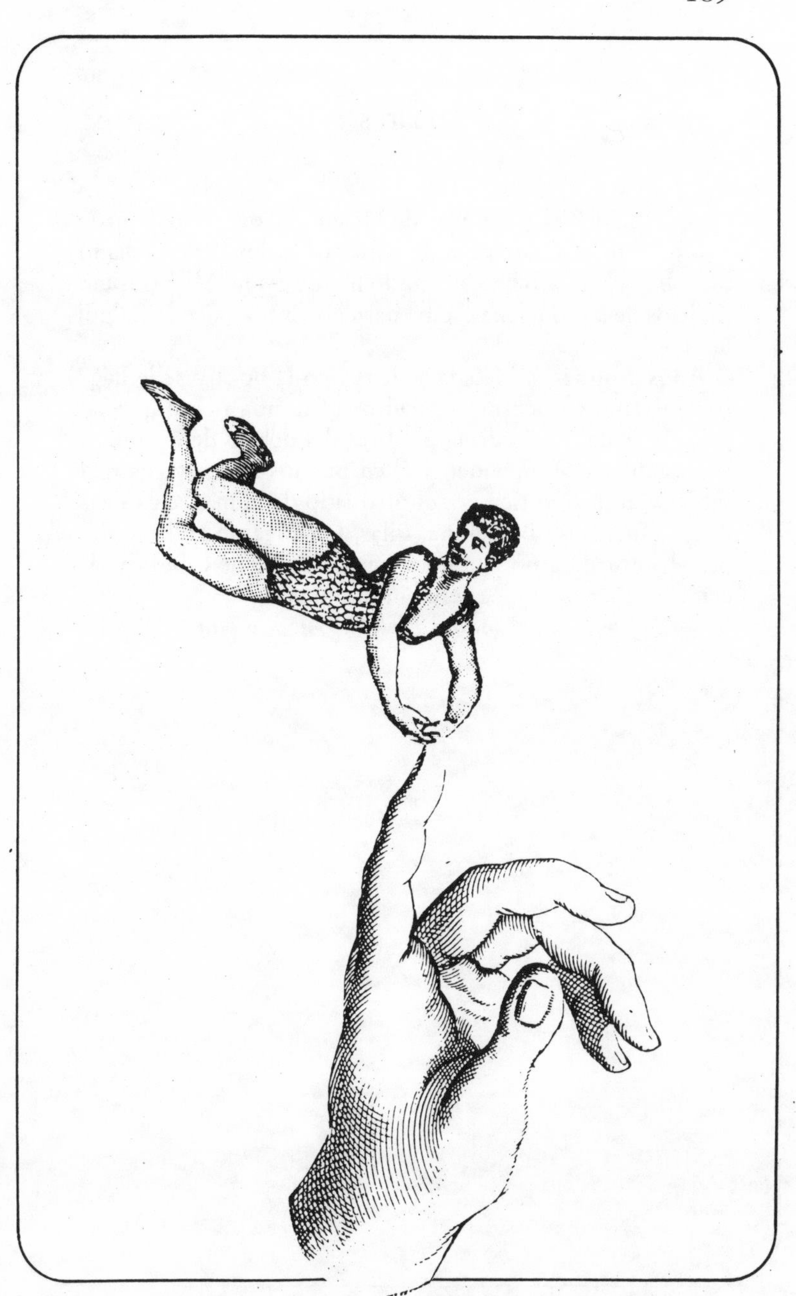

Andares/1

ALBERTO, el padre de Helena, se despertó de pronto. La barriga se le partía de dolor. Era medianoche, y no había comido nada pesado. Mientras tanto, lejos de allí, Helena estaba pariendo a Mariana, la Pulguita.

Años después, a Helena se le resecó la boca y se le llagaron los labios mientras su padre sufría una fiebre que por poco lo mata, y ella decía palabras del delirio de él, aunque ella estaba en Montevideo y él en Buenos Aires, y ella nada sabía; y al mismo tiempo, al otro lado de la mar, en su casa de las afueras de Barcelona, Pilar, la amiga de Helena, despertaba aturdida por un inexplicable dolor de cabeza y decía, sin saber por qué, pero sin ninguna duda:

—*Algo le está pasando a Helena. Algo le está pasando.*

Andares/2

NO fue un viento errante, de esos que vagabundean sin ton ni son, sino un señor ventarrón certeramente disparado desde la lejana costa caliente hasta la ciudad de Medellín, a través de las montañas y los países. El viento llegó a la casa de Jenny y la atravesó de punta a punta: súbitamente se abrió la puerta del frente, como pateada por un borracho, y poquito después se abrió la puerta del fondo, de la misma violenta manera.

Entonces Jenny supo. Restablecida la calma, hasta el aire dudaba, el aire lastimado; pero ella supo. Y la lavandera, que vivía lejos, en el pueblo La Pintada, también supo: estaba enjuagando ropa con agua llovida, esa misma medianoche, cuando sintió que había alguien detrás:

—*Yo la ví, niña. Se lo puedo jurar.*

La noticia llegó a Medellín por telegrama, tempranito en la mañana, pero ya no era necesaria: que anoche, a medianoche, ha muerto Paula López, madre de Jenny, amiga muy amiga de la lavandera, en la lejana ciudad de Guayaquil.

La última cerveza de Caldwell

ERA el atardecer de un domingo de abril. Al cabo de una semana de mucho trabajo, yo estaba bebiendo cerveza en una taberna de Amsterdam. Estaba con Annelies, que me había ayudado con santa paciencia en mis vueltas y revueltas por Holanda.

Yo me sentía bien pero, no sé por qué, tirando a triste.

Y me puse a hablar de las novelas de Erskine Caldwell.

Eso empezó con un chiste bobo. Como me daban vergüenza mis incesantes viajes al baño entre cerveza y cerveza, se me ocurrió decir que el camino de la cerveza conduce al baño como el camino del tabaco conduce al cenicero, y me sentí de lo más ingenioso. Pero Annelies, que no había leído *El camino del tabaco,* ni siquiera sonrió. Entonces le expliqué el chiste, que es lo peor que uno puede hacer en cualquier circunstancia, y fue así que me lancé a hablar de Caldwell y de sus esperpentos del sur de los Estados Unidos; y ya no pude parar.

Hacía más de veinte años que yo no hablaba de él. Yo no hablaba de Caldwell desde los tiempos en que me encontraba con Horacio Petit, en los cafés y las cantinas de Montevideo, y con él andábamos vinos y novelas.

Ahora, mientras hablaba, mientras me brotaba de la boca aquel torrente imparable, yo veía a Caldwell, lo veía bajo su deshilachado sombrero de paja, meciéndose en una veranda, feliz por los ataques de las ligas de moral y los críticos literarios, mascando tabaco y rumiando nuevas cochinadas y desventuras para sus miserables personajes.

Y la tarde se hizo noche. Yo no sé cuánto tiempo pasé hablando de Caldwell y bebiendo cerveza.

A la mañana siguiente, leí la noticia en los diarios: *El novelista Erskine Caldwell murió ayer, en su casa del sur de los Estados Unidos.*

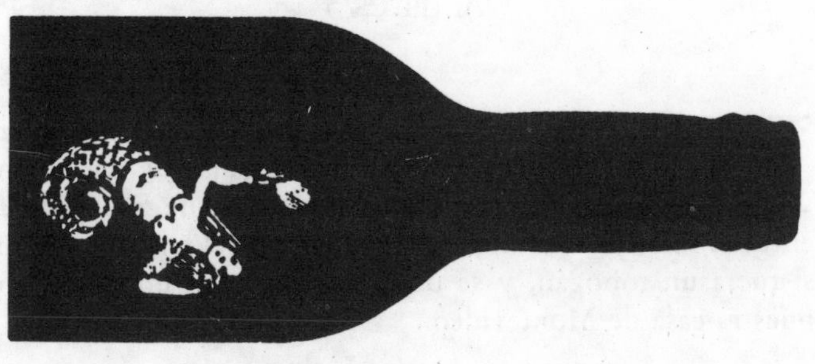

Andares/3

HELENA soñó que hablaba por teléfono con Pilar y Antonio, y eran tantas la ganas de darles un abrazo que conseguía traerlos desde España por el tubo. Pilar y Antonio se deslizaban por el teléfono como si fuera un tobogán, y se dejaban caer, tan campantes, en nuestra casa de Montevideo.

Dicen las paredes/4

EN pleno centro de Medellín:

La letra con sangre entra.

Y abajo, firmando:

Sicario alfabetizador.

En la ciudad uruguaya de Melo:

Ayude a la policía: Tortúrese.

En un muro de Masatepe, en Nicaragua, poco después de la caída del dictador Somoza:

Se morirán de nostalgia, pero no volverán.

Envidias del alto cielo

CREEN los mayas que al principio de la historia, cuando los dioses nos dieron nacimiento, nosotros, los humanos, éramos capaces de ver más allá del horizonte. Entonces estábamos recién fundados, y los dioses nos arrojaron polvo a los ojos para que no fuéramos tan poderosos.

Yo pensé en esa envidia de los dioses, cuando supe que había muerto mi amigo René Zavaleta. René, que tenía una inteligencia deslumbrante, fue fulminado por un cáncer al cerebro.

De cáncer de garganta había muerto, medio siglo antes, Enrico Caruso.

Noticias

LOS monos confunden al gato Félix con Tarzán, Popeye devora sus latas infalibles, Berta Singerman gime versos en el Teatro Solís, la gran tijera de Geniol corta los resfríos, de un momento al otro Mussolini va a invadir Etiopía, se concentra la flota británica en el canal de Suez.

Página tras página, día tras día, el año 1935 va desfilando a los ojos del Pepe Barrientos, en la Biblioteca Nacional. El Pepe está buscando no sé qué dato en la colección del diario Uruguay, el estreno de un tango o el bautismo de una calle o algo así, y todo el tiempo siente que ésta no es la primera vez, siente que ya ha visto lo que ahora está viendo, que ya ha pasado por aquí, antes ha pasado por aquí, por estas páginas, el cine Ariel estrena una de Ginger Rogers, en el Artigas baila y canta la pequeña Shirley Temple, una franela mojada en Untisal cura el dolor de garganta, arde un navío a ciento cincuenta millas de estas costas de Montevideo, una bailarina de dudosa reputación amanece asesinada, Mussolini pronuncia su ultimátum. *¡Guerra! ¡Ya viene la guerra!*, clama un título enorme. Sí, el Pepe lo ha visto. Sí, sí: esa foto, el arquero en plena paloma atravesando la página, el pelotazo del vasco Cea doblándole las manos, esas letras: quizás en la infancia, piensa. Se sorprende de tan largo viaje

de la memoria: en 1935, hace más de medio siglo, él tenía seis años. Y entonces, de pronto, el miedo lo toca, las uñas heladas del miedo le rozan la nuca, y él tiene la certeza de que debe irse, y tiene la certeza de que va a quedarse.

Así que sigue. Podría cambiar de diario, o de año, o simplemente podría echarse a caminar hacia la puerta de salida, pero sigue. El Pepe sigue, llamado, no puede irse, no puede detenerse, y gana Peñarol, con Gestido de gran figura, y ya se ha firmado la paz entre Paraguay y Bolivia pero no termina de resolverse el problema de los prisioneros, y una tormenta hunde barcos en el canal de la Mancha, y cae el asesino de la bailarina, que resultó ser su amante y que llevaba ocho centésimos en el bolsillo en el momento de su detención, y el remedio de Himrod está garantizado contra el asma, y súbitamente la mano del Pepe, que acaba de volver la página, se paraliza, y una foto le golpea la cara: una foto a seis columnas, el camión volcado y reventado, la inmensa foto del camión, y alrededor del camión un enjambre de curiosos mirando al fotógrafo, mirando al Pepe que mira a los curiosos, que no los ve: el Pepe con los ojos ciegos de lágrimas ante la foto del camión donde muere su padre, aplastado por un choque espectacular que conmueve al barrio de La Teja, en Montevideo, al mediodía del 18 de setiembre de 1935.

La muerte

NI diez personas iban a los últimos recitales del poeta español Blas de Otero. Pero cuando Blas de Otero murió, muchos miles de personas acudieron al homenaje fúnebre que se le hizo en una plaza de toros de Madrid. Él no se enteró.

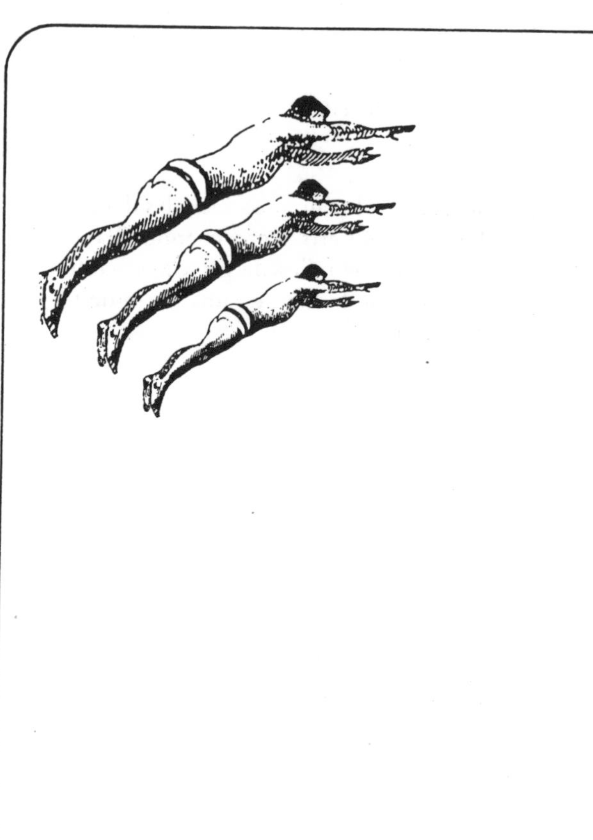

Llorar

FUE en la selva, en la amazonia ecuatoriana. Los indios shuar estaban llorando a una abuela moribunda. Lloraban sentados, a la orilla de su agonía. Un testigo, venido de otros mundos, preguntó:

—*¿Por qué lloran delante de ella, si todavía está viva?*

Y contestaron los que lloraban:

—*Para que sepa que la queremos mucho.*

Celebración de la risa

JOSÉ Luis Castro, el carpintero del barrio, tiene muy buena mano. La madera, que sabe que él la quiere, se deja hacer.

El padre de José Luis había venido al río de la Plata desde una aldea de Pontevedra. Recuerda el hijo al padre, el rostro encendido bajo el sombrero panamá, la corbata de seda en el cuello del pijama celeste, y siempre, siempre contando historias desopilantes. Donde él estaba, recuerda el hijo, ocurría la risa. De todas partes acudían a reírse, cuando él contaba, y se agolpaba el gentío. En los velorios había que levantar el ataúd, para que cupieran todos —y así el muerto se ponía de pie para escuchar con el debido respeto aquellas cosas dichas con tanta gracia.

Y de todo lo que José Luis aprendió de su padre, eso fue lo principal:

—*Lo importante es reír* —le enseñó el viejo—. *Y reír juntos.*

Dicen las paredes/5

EN la Facultad de Ciencias Económicas, en Montevideo:

La droga produce amnesia y otras cosas que no recuerdo.

En Santiago de Chile, a orillas del río Mapocho:

Bienaventurados los borrachos, porque ellos verán a Dios dos veces.

En Buenos Aires, en el barrio de Flores:

Una novia sin tetas más que novia es un amigo.

El vendedor de risas

ESTOY en la playa de Malibú, en el espigón donde hace medio siglo el detective Philip Marlowe encontró alguno de sus cadáveres.

Jack Miles me señala una linda casa, a lo lejos, a lo alto: allí vivía el hombre que abastecía de risas a Hollywood. Hace diez años, Jack pasó un tiempo en esa casa, cuando el abastecedor de risas decidió marcharse para siempre.

La casa estaba toda tapizada de risas. Aquel hombre se había pasado la vida recogiendo risas. Grabador en mano, había recorrido los Estados Unidos de cabo a rabo, al revés y al derecho, en busca de risas, y había logrado reunir la mayor colección del mundo. Había registrado la alegría de los niños jugando y el alborozo gastadito de la gente ya vivida. Tenía risas del norte y del sur, del este y del oeste. Según se le pidiera, podía proporcionar risas de celebración o risas de

dolor o de pánico, risas enamoradas, aterradoras carcajadas de espectros y risotadas de locos y borrachos y criminales. Entre sus miles y miles de grabaciones, tenía risas para creer y risas para desconfiar, risas de negros, de mulatos y de blancos, risas de pobres y de ricos y de mediopelos.

Vendiendo risas, risas para cine, radio y televisión, se había hecho rico. Pero él era un hombre más bien melancólico, y tenía una mujer que de una mirada quitaba a cualquiera las ganas de reír.

Ella y él se fueron de su casa de la playa de Malibú, y nunca más volvieron. Se fueron huyendo de los mexicanos, porque en California hay cada vez más mexicanos que comen comida picante y tienen la maldita costumbre de reír a las carcajadas. Ahora ellos viven en la isla de Tasmania, que es por allá por Australia, pero más lejos.

Yo, mutilado capilar

LOS peluqueros me humillan cobrándome la mitad. Hace unos veinte años, el espejo delató los primeros claros bajo la melena encubridora. Hoy me provoca estremecimientos de horror el luminoso reflejo de mi calva en vidrieras y ventanas y ventanillas.

Cada pelo que pierdo, cada uno de los últimos cabellos, es un compañero que cae, y que antes de caer ha tenido nombre, o por lo menos número.

Me consuelo recordando la frase de un amigo piadoso:

—*Si el pelo fuera importante, estaría dentro de la cabeza, y no afuera.*

También me consuelo comprobando que en todos estos años se me ha caído mucho pelo pero ninguna idea, lo que es una alegría si se compara con tanto arrepentido que anda por ahí.

Celebración del nacer incesante

MIGUEL Mármol sirvió otra vuelta de ron Matusalén y me dijo que estaba conmemorando, bebemorando, los cincuenta y cinco años de su fusilamiento. En 1932, un pelotón de soldados había acabado con él, por orden del dictador Martínez.

—*De edad, ya llevo ochenta y dos* —dijo Miguelito— *pero yo ni me doy cuenta. Tengo muchas novias. Me las recetó el médico.*

Me contó que tenía la costumbre de despertarse antes del amanecer, y que no bien abría los ojos se ponía a cantar, a bailar y a zapatear, y que a los vecinos de abajo no les gustaba nada.

Yo había ido a llevarle el tomo final de *Memoria del fuego*. La historia de Miguelito funciona como eje de ese libro: la historia de sus once muertes y sus once resurrecciones, todo a lo largo de su vida peleona. Desde que nació por primera vez en Ilopango, en El Salvador, Miguelito es la más certera metáfora de América Latina. Como él, América Latina ha muerto y ha nacido muchas veces. Como él, sigue naciendo.

—*Pero de eso* —me dijo— *más vale no hablar. Los católicos me dicen que todo ha sido por la pura Providencia. Y los comunistas, mis camaradas, me dicen que todo ha sido por la pura coincidencia.*

Le propuse que fundáramos juntos el marxismo mágico: mitad razón, mitad pasión, y una tercera mitad de misterio.

—*No sería mala idea* —me dijo.

El parto

TRES días de parto y el hijo no salía:

—*Tá trancado. El negrito tá trancado* —dijo el hombre.

El venía de un rancho perdido en los campos.

Y el médico fue.

Maletín en mano, bajo el sol del mediodía, el médico anduvo hacia la lejanía, hacia la soledad, donde todo parece cosa del jodido destino; y llegó y vio.

Después se lo contó a Gloria Galván:

—*La mujer estaba en las últimas, pero todavía jadeaba y sudaba y tenía los ojos muy abiertos. A mí me faltaba experiencia en cosas así. Yo temblaba, estaba sin un criterio. Y en eso, cuando corrí la cobija, ví un brazo chiquitito asomando entre las piernas abiertas de la mujer.*

El médico se dio cuenta de que el hombre había estado tirando. El bracito estaba despellejado y sin vida, un colgajo sucio de sangre seca, y el médico pensó: *No hay nada que hacer.*

Y sin embargo, quién sabe por qué, lo acarició. Rozó con el dedo índice aquella cosa inerte y al llegar a la manito, súbitamente la manito se cerró y le apretó el dedo con alma y vida.

Entonces el médico pidió que le hirvieran agua y se arremangó la camisa.

Resurrecciones/2

ERAN tiempos de dictadura militar en el Brasil.

Los generales lo dejaron entrar para que muriera en su tierra. Darcy Ribeiro llegó del exilio y una ambulancia, que lo esperaba al pie del avión, lo llevó directamente al hospital.

Darcy sabía que tenía cáncer, y que el cáncer le había devorado por lo menos un pulmón, pero estaba alegre de la alegría de estar en su tierra y sentirla tan siempreviva y bailandera.

El hermano de Darcy llegó desde el pueblo de Montes Claros. Venía a despedirse. Sentado junto a Darcy en el hospital, se miraba los pies. Estaba lloroso y sombrío y Darcy trataba de levantarle el ánimo. Así que el médico cirujano tomó a Darcy por el brazo y se lo llevó a caminar por el corredor:

—*No quisiera desanimarlo* —dijo—, *pero creo que debe prepararse para lo peor. Si su hermano sale vivo, será un milagro.*

Darcy no pudo aguantarse la risa, y el médico no entendió.

Al día siguiente, lo operaron. Darcy despertó con un pulmón menos. Como tiene tantos, ni se dio cuenta.

Resurrecciones/3

ESTUVE en Saint-Pierre, en los restos de Saint-Pierre. Ella había sido la ciudad más bella del mar Caribe, hasta que un volcán carbonizó a sus treinta mil habitantes.

Trágica profecía de un mundo al revés: los que estaban a salvo fueron condenados, y el condenado fue el único que se salvó. Ludger Sylbaris, preso por vagabundo, emergió con vida, muy quemado pero con vida, tres días después de la catástrofe: sólo las gruesas paredes de la cárcel habían podido resistir la tromba ardiente del volcán.

—*¡Helo aquí! ¡El verdadero, el auténtico! ¡El que escapó del infierno! ¡Un milagro de Dios! ¡Mírenlo bien, señoras y señores! ¡Y que se cubran los ojos las personas sensibles!*

Sylbaris pasó a ser la gran atracción del circo Barnum en sus andanzas por el mundo. Él tenía más éxito que la mujer barbuda y el niño de dos cabezas. Abría los brazos y giraba lentamente sobre sí mismo, mostrando su cuerpo en llaga viva, y el público se estremecía de horror y de placer.

Los tres hermanos

EN Nicaragua, en los años de la guerra contra Somoza, Sofía Montenegro dormía mal.

Sus hermanos eran el tema de las pesadillas más frecuentes. Ella soñaba con una emboscada y una lluvia de balas, en pesadillas que ocurrían en paisajes de ninguna parte o allá por la subidita que va a Tiscapa. Después de la última ráfaga, un hermano de Sofía, teniente coronel de la dictadura, arrancaba los pañuelos que cubrían las caras de sus víctimas; y entre los muertos estaba el otro hermano.

Junto a ese hermano, el que caía en el sueño, militaba Sofía en el Frente Sandinista. El hermano enemigo, el teniente coronel, había bombardeado la ciudad de Estelí y había torturado prisioneros. Pero en los sueños de Sofía los dos hermanos, el militar y el guerrillero, tenían sus ojos: los dos eran iguales a ella, los dos eran ella.

Las dos cabezas

QUIZÁS Omar Cabezas se llama así porque está usando su segunda cabeza. Y quizás por eso ha llegado hasta el final en el áspero camino de la revolución de Nicaragua; y por eso ha llegado vivo hasta el final.

Omar era niño y estaba jugando a la guerra de las pedradas, en la ciudad de León. Llovían los proyectiles, entre una y otra esquina de una calle cualquiera, cuando Omar vio venir una tremenda piedra que su enemigo le había arrojado, vio clarita la trayectoria de la piedra en el aire, y corrió: él quería correr para el otro lado, escapar, salvarse, pero no pudo evitar que su cabeza se lanzara al encuentro de aquella piedra que le estaba destinada, y su cabeza llegó al lugar exacto y en el momento exacto para ser golpeada y rota por la piedra que caía.

Así Omar perdió aquella cabeza suya que buscaba la perdición. Desde entonces usa otra, un poco menos loca.

Resurrecciones/4

PECA el que miente, dice Ernesto Cardenal, porque roba verdad a las palabras.

Allá por 1524, fray Bobadilla hizo una gran hoguera en la aldea de Managua y arrojó a las llamas los libros indígenas. Esos libros estaban hechos en piel de venado, en imágenes pintadas con dos colores: el rojo y el negro.

Hacía siglos que a Nicaragua la venían mintiendo, cuando el general Sandino eligió esos colores, sin saber que eran los colores de las cenizas de la memoria nacional.

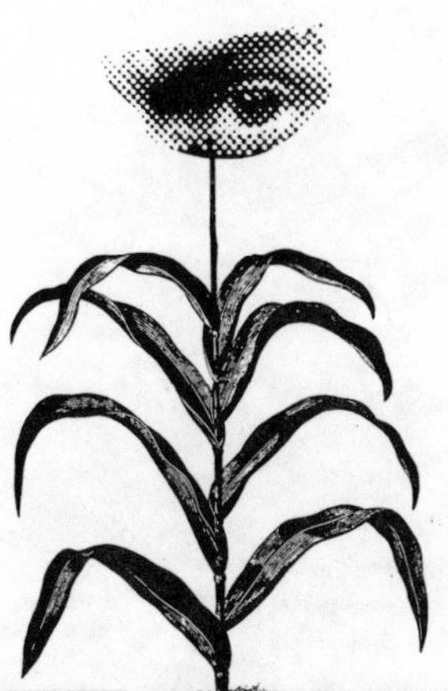

La maromera

LUZ Marina Acosta era muy niña cuando descubrió el circo Firuliche.

El circo Firuliche emergió una noche, mágico barco de luces, desde las profundidades del lago de Nicaragua. Eran clarines guerreros las cornetas de cartón de los payasos y altas banderas los harapos que flameaban anunciando la mayor fiesta del mundo. La carpa estaba toda llena de remiendos, y también los leones, leones jubiladitos; pero la carpa era un castillo y los leones eran los reyes de la selva; y era la reina de los cielos aquella rechoncha señora, fulgurante de lentejuelas, que se balanceaba en los trapecios a un metro del suelo.

Entonces Luz Marina decidió hacerse maromera. Y saltó de verdad, desde muy alto, y en su primera acrobacia, a los seis años de edad, se rompió las costillas.

Y así fue, después, la vida. En la guerra, larga guerra contra la dictadura de Somoza, y en los amores: siempre volando, siempre rompiéndose las costillas.

Porque quien entra al circo Firuliche, no sale nunca.

Las flores

EL escritor brasileño Nelson Rodrigues estaba condenado a la soledad. Tenía cara de sapo y lengua de serpiente, y a su prestigio de feo y fama de venenoso sumaba la notoriedad de su contagiosa mala suerte: la gente de su alrededor moría por bala, miseria o desdicha fatal.

Un día, Nelson conoció a Eleonora. Ese día, el día del descubrimiento, cuando por primera vez vio a esa mujer, una violenta alegría lo atropelló y lo dejó bobo. Entonces quiso decir alguna de sus frases brillantes, pero se le aflojaron las piernas y se le enredó la lengua y no pudo más que tartamudear ruiditos.

La bombardeó con flores. Le enviaba flores a su apartamento, en lo más alto de un alto edificio de Río de Janeiro. Cada día le enviaba un gran ramo de flores, flores siempre diferentes, sin repetir jamás los colores ni los aromas, y abajo esperaba: desde abajo veía el balcón de Eleonora, y desde el balcón ella arrojaba las flores a la calle, cada día, y los automóviles las aplastaban.

Y así fue durante cincuenta días. Hasta que un día, un mediodía, las flores que Nelson envió no cayeron a la calle y no fueron pisoteadas por los automóviles.

Ese mediodía, él subió hasta el piso último, tocó el timbre y la puerta se abrió.

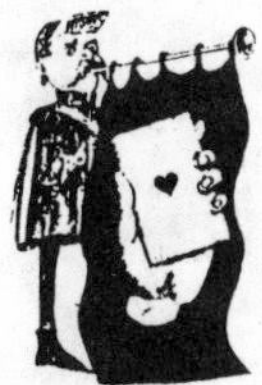

Las hormigas

TRACEY Hill era niña en un pueblo de Connecticut, y practicaba entretenimientos propios de su edad, como cualquier otro tierno angelito de Dios en el estado de Connecticut o en cualquier otro lugar de este planeta.

Un día, junto a sus compañeritos de la escuela, Tracey se puso a echar fósforos encendidos en un hormiguero. Todos disfrutaron mucho de este sano esparcimiento infantil; pero a Tracey la impresionó algo que los demás no vieron, o hicieron como que no veían, pero que a ella la paralizó y le dejó, para siempre, una señal en la memoria: ante el fuego, ante el peligro, las hormigas se separaban en parejas, y de a dos, bien juntas, bien pegaditas, esperaban la muerte.

La abuela

LA abuela de Bertha Jensen murió maldiciendo.

Ella había vivido toda su vida en puntas de pie, como pidiendo perdón por molestar, consagrada al servicio de su marido y de su prole de cinco hijos, esposa ejemplar, madre abnegada, silencioso ejemplo de virtud: jamás una queja había salido de sus labios, ni mucho menos una palabrota.

Cuando la enfermedad la derribó, llamó al marido, lo sentó ante la cama y empezó. Nadie sospechaba que ella conocía aquel vocabulario de marinero borracho. La agonía fue larga. Durante más de un mes, la abuela vomitó desde la cama un incesante chorro de insultos y blasfemias de los bajos fondos. Hasta la voz le había cambiado. Ella, que nunca había fumado ni bebido nada que no fuera agua o leche, puteaba con voz ronquita. Y así, puteando, murió; y hubo un alivio general en la familia y en el vecindario.

Murió donde había nacido, en el pueblo de Dragor, frente a la mar, en Dinamarca. Se llamaba Inge. Tenía una linda cara de gitana. Le gustaba vestir de rojo y navegar al sol.

El abuelo

UN hombre, que se llama Amando, nacido en un pueblo que se llama Salitre, en la costa del Ecuador, me regaló la historia de su abuelo.

Los tataranietos se turnaban haciéndole la guardia. En la puerta le habían puesto candado y cadena. Don Segundo Hidalgo decía que de ahí le venían los achaques:

—*Tengo reuma de gato castrado* —se quejaba.

A los cien años cumplidos, don Segundo aprovechaba cualquier descuido, montaba en pelo y se escapaba a buscar novias por ahí. Nadie sabía tanto de mujeres y de caballos. Él había poblado esa aldea de Salitre, y la comarca, y la región, desde que fue padre por primera vez, a los trece años.

El abuelo confesaba trescientas mujeres, aunque todo el mundo sabía que habían sido más de cuatrocientas. Pero una, una que se llamaba Blanquita, había sido la más mujer de todas.

Hacía treinta años que había muerto Blanquita, y él la convocaba todavía, a la hora del crepúsculo. Amando, el nieto, el que me regaló esta historia, se escondía y espiaba la ceremonia secreta. En el balcón, iluminado por la última luz, el abuelo abría una talquera de otros tiempos, una caja re-

donda de aquéllas con ángeles rosaditos en la tapa, y se llevaba el algodón a la nariz:

—*Creo que te conozco* —murmuraba, aspirando el leve perfume de aquel polvo—. *Creo que te conozco.*

Y muy suavemente se balanceaba, dormitando murmullos en la mecedora.

Al atardecer de cada día, el abuelo cumplía su homenaje a la más amada. Y una vez por semana, la traicionaba. Le era infiel con una gorda que cocinaba recetas complicadísimas en la televisión. El abuelo, dueño del primer y único televisor del pueblo de Salitre, jamás se perdía ese programa. Se bañaba y se afeitaba y se vestía de punta en blanco, como para una fiesta, el mejor sombrero, los botines de charol, el chaleco de botones dorados, la corbata de seda, y se sentaba bien pegado a la pantalla. Mientras la gorda batía sus cremas y alzaba el cucharón, explicando las claves de algún sabor único, exclusivo, incomparable, el abuelo le hacía guiñadas y le lanzaba furtivos besos. La libreta de ahorros del banco asomaba en el bolsillo de arriba del traje. El abuelo ponía la libreta, así, insinuadita, como al descuido, para que la gorda viera que él no era un pobre pelagatos.

Fuga

UNO de estos días, Maité Piñero, recién venida de El Salvador, me trajo la noticia:

—*Murió.*

Un avión enemigo fue más rápido que él. Cuando el ataque cesó, sus compañeros lo enterraron. Lo enterraron al anochecer. Todos se daban la espalda entre sí. Nadie mostraba la cara.

Fuga había llegado tres o cuatro años antes, y había llegado para quedarse. Al alba había llegado, en los días de la gran lluvia, y se había plantado en medio del campamento, bajo la lluvia, y la lluvia lo acribillaba y él seguía allí.

Y seguía allí, todavía, cuando el diluvio cesó: un burro, o la estatua de un burro, ya muy apaleado y destartalado, que con su único ojo miraba de manera impasible y para siempre. Los guerrilleros lo echaron. Lo insultaron, lo patearon, lo empujaron; y no hubo caso.

Así que se quedó. Lo llamaron Fuga, porque era el más veloz para escapar, en el desparramo de los bombardeos. Lo mandaban lejos, en difíciles misiones de lleva y trae, y siempre volvía. Los muchachos se movían noche y día, de un lado a otro, a través de las montañas quemadas de San Miguel, y él los encontraba siempre. Y cuando el ejército los cercaba, Fuga se las arreglaba para pasar, como si nada, por los campos minados, y como si nada atravesaba las filas enemigas con sus alforjas cargadas de café y tortillas y cigarrillos y balas.

—*No nos traiciones, Fuga* —le pedían.

Y él los miraba, sin parpadear, con su ojo solo.

El burrito conocía todo. Conocía las bases de operaciones y los escondrijos de armas y de víveres, los senderos y los atajos, el cruce elegido para la próxima emboscada; y también conocía a los amigos de la guerrilla en cada una de las aldeas. Y algo más, mucho más, todo lo demás, conocía Fuga: él era el dueño de las confidencias. Porque el burrito sabía escuchar las penas y las dudas y las secretas bandidencias de cada uno; y hasta los machos más machos, hombres de hierro callado, se daban permiso para llorar con él.

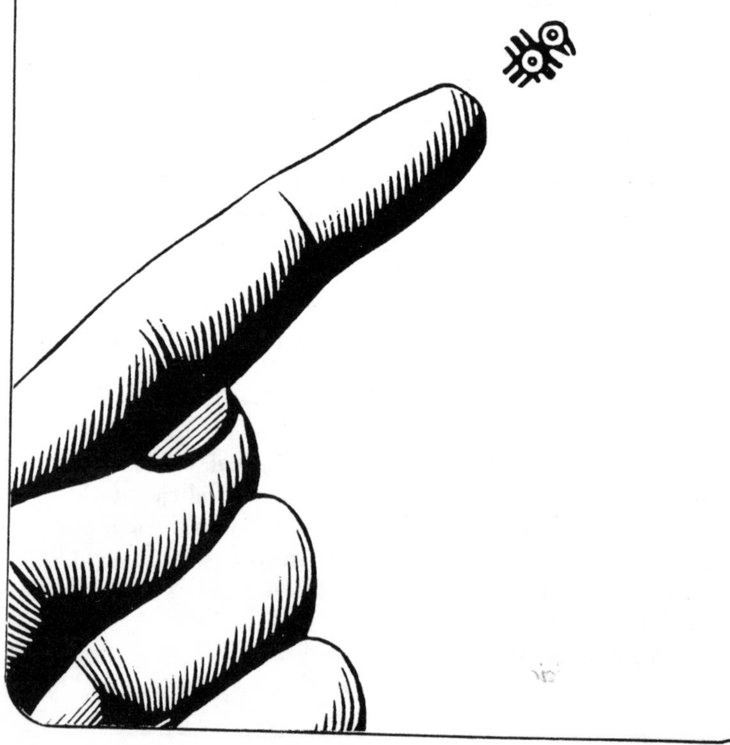

Celebración de la amistad/1

EN los suburbios de La Habana, llaman al amigo *mi tierra* o *mi sangre*.

En Caracas, el amigo es *mi pana* o *mi llave: pana*, por panadería, la fuente del buen pan para las hambres del alma; y *llave* por...

—*Llave, por llave* —me dice Mario Benedetti.

Y me cuenta que cuando vivía en Buenos Aires, en los tiempos del terror, él llevaba cinco llaves ajenas en su llavero: cinco llaves, de cinco casas, de cinco amigos: las llaves que lo salvaron.

Celebración de la amistad/2

JUAN Gelman me contó que una señora se había batido a paraguazos, en una avenida de París, contra toda una brigada de obreros municipales. Los obreros estaban cazando palomas cuando ella emergió de un increíble Ford a bigotes, un coche de museo, de aquellos que arrancaban a manivela; y blandiendo su paraguas, se lanzó al ataque.

A mandobles se abrió paso, y su paraguas justiciero rompió las redes donde las palomas habían sido atrapadas. Entonces, mientras las palomas huían en blanco alboroto, la señora la emprendió a paraguazos contra los obreros.

Los obreros no atinaron más que a protegerse, como pudieron, con los brazos, y balbuceban protestas que ella no oía: más respeto, señora, haga el favor, estamos trabajando, son órdenes superiores, señora, por qué no le pega al alcalde, calmesé, señora, qué bicho la picó, se ha vuelto loca esta mujer...

Cuando a la indignada señora se le cansó el brazo, y se apoyó en una pared para tomar aliento, los obreros exigieron una explicación.

Después de un largo silencio, ella dijo:

—*Mi hijo murió.*

Los obreros dijeron que lo lamentaban mucho, pero que ellos no tenían la culpa. También dijeron que esa mañana había mucho que hacer, usted comprenda...

—*Mi hijo murió* —repitió ella.

Y los obreros: que sí, que sí, pero que ellos se estaban ganando el pan, que hay millones de palomas sueltas por todo París, que las jodidas palomas son la ruina de esta ciudad...

—*Cretinos* —los fulminó la señora.

Y lejos de los obreros, lejos de todo, dijo:

—*Mi hijo murió y se convirtió en paloma.*

Los obreros callaron y estuvieron un largo rato pensando. Y por fin, señalando a las palomas que andaban por los cielos y los tejados y las aceras, propusieron:

—*Señora: ¿por qué no se lleva a su hijo y nos deja trabajar en paz?*

Ella se enderezó el sombrero negro:

—*¡Ah, no! ¡Eso sí que no!*

Miró a través de los obreros, como si fueran de vidrio, y muy serenamente dijo:

—*Yo no sé cuál de las palomas es mi hijo. Y si supiera, tampoco me lo llevaría. Porque, ¿qué derecho tengo yo a separarlo de sus amigos?*

Gelman

EL poeta Juan Gelman escribe alzándose sobre sus propias ruinas, sobre su polvo y su basura.

Los militares argentinos, cuyas atrocidades hubieran provocado a Hitler un incurable complejo de inferioridad, le pegaron donde más duele. En 1976, le secuestraron a los hijos. Se los llevaron en lugar de él. A la hija, Nora, la torturaron y la soltaron. Al hijo, Marcelo, y a su compañera, que estaba embarazada, los asesinaron y los desaparecieron.

En lugar de él: se llevaron a los hijos porque él no estaba. ¿Cómo se hace para sobrevivir a una tragedia así? Digo: para sobrevivir sin que se te apague el alma. Muchas veces me lo he preguntado, en estos años. Muchas veces me he imaginado esa horrible sensación de vida usurpada, esa pesadilla del padre que siente que está robando al hijo el aire que respira, el padre que en medio de la noche despierta bañado en sudor: *Yo no te maté, yo no te maté.* Y me he preguntado: si Dios existe, ¿por qué pasa de largo? ¿No será ateo, Dios?

El arte y el tiempo

Q*UIÉNES son mis contemporáneos?* —se pregunta Juan Gelman.

Juan dice que a veces se cruza con hombres que huelen a miedo, en Buenos Aires, París o donde sea, y siente que esos hombres no son sus contemporáneos. Pero hay un chino que hace miles de años escribió un poema, acerca de un pastor de cabras que está lejísimos de la mujer amada y sin embargo puede escuchar, en medio de la noche, en medio de la nieve, el rumor del peine en su pelo; y leyendo ese remoto poema, Juan comprueba que sí, que ellos sí: que ese poeta, ese pastor y esa mujer son sus contemporáneos.

Profesión de fe

SÍ, sí, por lastimado y jodido que uno esté, siempre puede uno encontrar contemporáneos en cualquier lugar del tiempo y compatriotas en cualquier lugar del mundo. Y cada vez que eso ocurre, y mientras eso dura, uno tiene la suerte de sentir que es algo en la infinita soledad del universo: algo más que una ridícula mota de polvo, algo más que un fugaz momentito.

Cortázar

CON un solo brazo nos abrazaba a los dos. El brazo era larguísimo, como antes, pero todo el resto se había reducido mucho, y por eso Helena lo soñaba con desconfianza, entre creyendo y no creyendo. Julio Cortázar explicaba que había podido resucitar gracias a una máquina japonesa, que era una máquina muy buena pero que todavía estaba en fase de experimentación, y que por error la máquina lo había dejado enano.

Julio contaba que las emociones de los vivos llegan a los muertos como si fueran cartas, y que él había querido volver a la vida por la mucha pena que le daba la pena que su muerte nos había dado. Además, decía, estar muerto es una cosa que aburre. Julio decía que andaba con ganas de escribir algún cuento sobre eso.

Crónica de la ciudad de Montevideo

JULIO César Puppo, llamado El Hachero, y Alfredo Gravina, se encontraron al anochecer, en un café del barrio de Villa Dolores. Así, por casualidad, descubrieron que eran vecinos:

—*Tan cerquita y sin saberlo.*

Se ofrecieron una copa, y otra.

—*Se te ve muy bien.*

—*No te vayas a creer.*

Y pasaron unas pocas horas y unas muchas copas hablando del tiempo loco y de lo cara que está la vida, de los amigos perdidos y los lugares que ya no están, memorias de los años mozos:

—*¿Te acordás?*

—*Si me acordaré.*

Cuando por fin el café cerró sus puertas, Gravina acompañó al Hachero hasta la puerta de su casa. Pero después el Hachero quiso retribuir:

—*Te acompaño.*

—*No te molestes.*

—*Faltaba más.*

Y en ese vaivén se pasaron toda la noche. A veces se detenían, a causa de algún súbito recuerdo o porque la estabilidad dejaba bastante que desear, pero en seguida volvían al ir y venir de esquina a esquina, de la casa de uno a la casa del otro, de una a otra puerta, como traídos y llevados por un péndulo invisible, queriéndose sin decirlo y abrazándose sin tocarse.

La alambrada

A la medianoche de la noche más helada del año llegó, súbita, violenta, la orden de formar. Aquella era la noche más helada de ese año y de muchos años, y una niebla enemiga enmascaraba todo.

A los gritos, a los culatazos, los presos fueron puestos de cara contra el cerco de alambre que rodeaba las barracas. Desde las torretas, los reflectores atravesaban la niebla y lentamente recorrían la larga hilera de uniformes grises, manos crispadas y cabezas rapadas a cero.

Darse vuelta estaba prohibido. Los presos escucharon ruidos de botas en carrera y los metálicos sonidos del montaje de las ametralladoras. Después, silencio.

En esos días, había corrido el rumor en la prisión:

—Nos van a matar a todos.

Mario Dufort era uno de esos presos, y estaba sudando hielo. Tenía los brazos abiertos, como todos, con las manos agarrando la alambrada: como él estaba temblando, la alambrada estaba temblando. Tiemblo de frío, se dijo a sí mismo, y se lo repitió; y no se lo creyó.

Y tuvo vergüenza de su miedo. Se sintió abochornado por aquel espectáculo que estaba dando ante sus compañeros. Y soltó las manos.

Pero la alambrada siguió temblando. Sacudida por las manos de todos los demás, la alambrada siguió temblando.

Y entonces, Mario entendió.

El cielo y el infierno

Llegué a Bluefields, en la costa de Nicaragua, al día siguiente de un ataque de la contra. Había muchos muertos y heridos. Yo estaba en el hospital cuando uno de los sobrevivientes del tiroteo, un muchacho, despertó de la anestesia: despertó sin brazos, miró al médico y le pidió:

—*Máteme.*

Me quedé con un nudo en el estómago.

Esa noche, noche atroz, el aire hervía de calor. Yo me eché en una terraza, solo, cara al cielo. No lejos de allí, sonaba fuerte la música. A pesar de la guerra, a pesar de todo, el pueblo de Bluefields estaba celebrando la fiesta tradicional del Palo de Mayo. El gentío bailaba, jubiloso, en torno del árbol ceremonial. Pero yo, tendido en la terraza, no quería escuchar la música ni quería escuchar nada, y estaba tratando de no sentir, de no recordar, de no pensar: en nada, en nada de nada. Y en eso estaba, espantando sonidos y tristezas y mosquitos, con los ojos clavados en la alta noche, cuando un niño de Bluefields, que yo no conocía, se echó a mi lado y se puso a mirar al cielo, como yo, en silencio.

Entonces cayó una estrella fugaz. Yo podía haber pedido un deseo; pero ni se me ocurrió.

Y el niño me explicó:

—*¿Sabes por qué se caen las estrellas? Es culpa de Dios. Es Dios, que las pega mal. Él pega las estrellas con agua de arroz.*

Amanecí bailando.

Crónica de la ciudad de Managua

El comandante Tomás Borge me invitó a cenar. Yo no lo conocía. Tenía fama de ser el más duro de todos, el más temido. Había otra gente en la cena, linda gente; él habló poco o nada. Me miraba, me medía.

La segunda vez, cenamos solos. Tomás estaba más abierto; contestó muy suelto mis preguntas sobre los viejos tiempos de la fundación del Frente Sandinista. Y a medianoche, como quien no quiere la cosa, me dijo:

—*Ahora, contame una película.*

Me defendí. Le expliqué que yo vivía en Calella, un pueblo chico, donde poco cine llegaba, películas viejas...

—*Contame* —insistió, ordenó—. *Cualquier película, cualquiera, aunque no sea nueva.*

Entonces conté una cómica. La conté, la actué; intenté resumir, pero él exigía detalles. Y cuando terminé:

—*Ahora, otra.*

Conté una de gangsters, que terminaba mal.

—*Otra.*

Conté una de vaqueros.

—*Otra.*

Conté, inventándola de cabo a rabo, una de amor.

Creo que estaba amaneciendo cuando me di por vencido, supliqué clemencia y me fui a dormir.

Me lo encontré a la semana. Tomás se disculpó:

—*Te exprimí, la otra noche. Es que a mí me gusta mucho el cine, me gusta con locura, y nunca puedo ir.*

Le dije que cualquiera podía entenderlo. Él era ministro del Interior de Nicaragua, en plena guerra; el enemigo no daba tregua y no había tiempo para el cine, ni lujos así.

—*No, no* —me corrigió—. *Tiempo, tengo. El tiempo... uno se hace el tiempo, si quiere. No es problema de tiempo. Antes, cuando estaba clandestino, disfrazado, me las arreglaba para ir al cine. Pero ahora...*

No pregunté. Hubo silencio, y siguió:

—*No puedo ir al cine porque... porque yo, en el cine, lloro.*

—*Ah* —le dije—. *Yo también.*

—*Claro* —me dijo—. *En seguida me di cuenta. La primera vez que te vi, pensé: «Este tipo llora en el cine.»*

El desafío

No lograron convertirnos en ellos —me escribió el Cacho El Kadri.

Corrían ya los últimos tiempos de las dictaduras militares en Argentina y Uruguay. Habíamos comido miedo al desayuno, miedo al almuerzo y a la cena, miedo; pero no habían logrado convertirnos en ellos.

Celebración del coraje/1

GABRIEL Caro, colombiano, que peleó en Nicaragua, me cuenta que a su lado cayó un suizo, destrozado por una ráfaga de ametralladora; y nadie sabía cómo se llamaba. Esto ocurrió en el Frente Sur, un par de noches al norte del río San Juan, poco antes de la derrota de la dictadura de Somoza. Nadie sabía el nombre, nadie sabía nada de aquel calladito miliciano rubio que se había ido tan lejos para morir por Nicaragua, por la revolución, por la luna. El suizo cayó gritando algo que nadie entendió, cayó gritando:

—*¡Viva Bakunin!*

Y mientras escucho a Gabriel contándome la historia del suizo, se me enciende la memoria. Hace años, en Montevideo, Carlos Bonavita me habló de un tío de él, o tío abuelo, que redactaba partes de batalla en tiempos de las guerras gauchas en las praderas del Uruguay. Andaba ese tío o tío abuelo contando muertos a la orilla del río donde una batalla, no sé qué batalla, había ocurrido. Por el color de las vinchas, reconocía los bandos. Y en eso, dio vuelta un cadáver y quedó paralizado. Era un soldado de pocos años, era un ángel de ojos tristes. Sobre el pelo negro, rojo de sangre, la vincha, blanca, decía: *Por la patria y por ella.* La bala había entrado en la palabra *ella.*

Celebración del coraje/2

LE pregunté si había visto un fusilamiento. Sí, había visto.

El Chino Heras había visto fusilar a un coronel, a fines de 1960, en el cuartel de La Cabaña. Muchos verdugos habían actuado en la dictadura de Batista, malas bestias al servicio del dolor y de la muerte; y ese coronel era uno de los muy, era uno de los más.

Estábamos en mi habitación, en rueda de amigos, en un hotel de La Habana. El Chino contó que el coronel no había querido que le vendaran los ojos, y su última voluntad no había sido un cigarrillo: el coronel pidió que lo dejaran dirigir su propio fusilamiento.

El coronel gritó: *¡Preparen!* y gritó: *¡Apunten!* Cuando iba a gritar: *¡Fuego!*, a uno de los soldados se le trabó el cerrojo del arma. Entonces el coronel interrumpió la ceremonia.

—*Calma* —dijo, ante la doble fila de hombres que debían matarlo. Ellos estaban tan cerca que casi los podía tocar.

—*Calma* —dijo—. *No se pongan nerviosos.*

Y mandó nuevamente preparar armas, y mandó apuntar, y cuando todo estuvo bien en orden, mandó disparar. Y cayó.

El Chino contó esta muerte del coronel, y nos quedamos callados. Éramos unos cuantos en la habitación, y todos nos quedamos callados.

Echada como una gata sobre la cama, había una muchacha vestida de rojo. No le recuerdo el nombre. Le recuerdo las piernas. Ella tampoco dijo nada.

Transcurrieron dos o tres botellas de ron y al final todo el mundo se fue a dormir. Ella también se fue. Antes de irse, desde la puerta entreabierta, miró al Chino, le sonrió y le agradeció:

—*Gracias* —le dijo—. *Yo no conocía los detalles. Gracias por contármelo.*

Después supimos que aquel coronel era su padre.

Una muerte digna es siempre una buena historia para contar, aunque sea la muerte digna de un hijo de puta. Pero yo quise escribirla, y no pude. Pasó el tiempo y la olvidé.

De la muchacha, nunca más supe.

Celebración del coraje/3

SERGIO Vuskovic me cuenta los últimos días de José Tohá.

—*Se suicidó* —dijo el general Pinochet.

—*El gobierno no puede garantizar la inmortalidad de nadie* —escribió un periodista de la prensa oficial.

—*Estaba flaco por los nervios* —declaró el general Leigh.

Los generales chilenos lo odiaban. Tohá había sido ministro de Defensa del gobierno de Allende, y les conocía los secretos.

Lo tenían en un campo de concentración, en la isla de Dawson, al sur del sur.

Los prisioneros estaban condenados a trabajos forzados. Bajo la lluvia, metidos en el barro o en la nieve, los prisioneros cargaban piedras, alzaban muros, colocaban tuberías, clavaban postes y tendían alambradas de púas.

Tohá, que medía uno noventa, estaba pesando cincuenta kilos. En los interrogatorios, se desmayaba. Lo interrogaban atado a una silla, con los ojos vendados. Cuando despertaba, no tenía fuerza para hablar, pero susurraba:

—*Óigame, oficial.*

Susurraba:

—*Arriba los pobres del mundo.*

Ya llevaba algún tiempo tumbado en la barraca, cuando un día se levantó. Fue el último día que se levantó.

Hacía mucho frío, como siempre, pero había sol. Alguien le consiguió un café bien caliente y el negro Jorquera silbó, para él, un tango de Gardel, uno de aquellos viejos tangos que tanto le gustaban.

Las piernas le temblaban, y a cada paso se le doblaban las rodillas, pero Tohá bailó ese tango. Lo bailó con una escoba, iguales de flacos los dos, la escoba y él, él estrujando el palo de la escoba contra su cara de hidalgo caballero, muy

cerraditos los ojos, muy sintiendo, hasta que en una vuelta quebrada cayó al suelo y ya no pudo levantarse.

Nunca más lo vieron.

Celebración del coraje/4

LA derecha mezquina y la izquierda puritana han dedicado buena parte de sus fervores a discutir si Salvador Allende se suicidó o no se suicidó.

Allende había anunciado que no saldría vivo del palacio presidencial. En América Latina, es tradición: todos lo dicen. Después, cuando ocurre el golpe de Estado, se toman el primer avión.

Habían pasado muchas horas de bombas y fuego y Allende seguía combatiendo entre los escombros. Entonces llamó a sus colaboradores más íntimos, que resistían con él, y les dijo:

—*Bajen ustedes, que yo ya voy.*

Ellos le creyeron y se fueron, y Allende quedó solo en el palacio en llamas.

¿Qué importa de quién fue el dedo que disparó la bala final?

Un músculo secreto

En el mediodía de la memoria, un mediodía del exilio. Yo estaba escribiendo, o leyendo, o aburriéndome, en mi casa de la costa de Barcelona, cuando sonó el teléfono y el teléfono me trajo, asombroso, la voz de Fico.

Hacía más de dos años que Fico estaba preso. Había salido en libertad el día anterior. El avión lo había traído de la celda de Buenos Aires al aeropuerto de Londres. Desde el aeropuerto me llamaba para pedirme que fuera, venite en el primer avión, tengo mucho que contarte, tanta cosa que hablar, pero una cosa quiero decirte desde ya, quiero que sepas:

—*No me arrepiento de nada.*

Y esa misma noche nos encontramos en Londres.

Al día siguiente, lo acompañé al dentista. No había remedio. Las descargas eléctricas en las cámaras de tortura le habían aflojado los dientes de arriba, y había que dar esos dientes por perdidos.

Fico Vogelius era el empresario que había financiado la revista *Crisis,* y no había puesto solamente dinero, sino que había puesto alma y vida en aquella aventura, y me había dado plena libertad para hacer la revista como yo quisiera. Mientras duró, tres años y pico, cuarenta números, *Crisis* supo ser un porfiado acto de fe en la palabra solidaria y crea-

dora, la que no es ni simula ser neutral, la voz humana que no es eco ni suena por sonar.

Por ese delito, por el imperdonable delito de *Crisis,* la dictadura militar argentina había secuestrado a Fico, lo había encarcelado y torturado; y él había salvado la vida por un pelo, gracias a que en pleno secuestro había alcanzado a gritar su nombre.

La revista había caído sin agacharse, y nosotros estábamos orgullosos de ella. Fico tenía una botella de no sé qué vino francés antiguo y querendón. Con ese vino brindamos, en Londres, a la salud del pasado, que seguía siendo un compañero digno de confianza.

Después, algunos años después, se acabó la dictadura militar. Y en 1985, Fico decidió que *Crisis* debía resucitar. Y estaba en eso, otra vez dispuesto a quemar tiempo y dinero, cuando supo que tenía cáncer.

Consultó a varios médicos, en varios países. Unos le daban vida hasta octubre, otros hasta noviembre. De noviembre no pasa, sentenciaron todos. Él andaba cadavérico, tambaleándose de operación en operación; pero un brillo de desafío le encendía los ojos.

Crisis reapareció en abril del 86. Y al día siguiente del renacimiento de *Crisis,* medio año más allá de todos los pronósticos, Fico se dejó morir.

Otro músculo secreto

EN los últimos años, la Abuela se llevaba muy mal con su cuerpo. Su cuerpo, cuerpo de arañita cansada, se negaba a seguirla.

—*Menos mal que la mente viaja sin boleto* —decía.

Yo estaba lejos, en el exilio. En Montevideo, la Abuela sintió que había llegado la hora de morir. Antes de morir, quiso visitar mi casa. Con cuerpo y todo.

Llegó en avión, acompañada por mi tía Emma. Viajó entre nubes, entre olas, convencida de que iba en barco; y cuando el avión atravesó una tormenta, creyó que andaba en carruaje, a los tumbos, sobre el empedrado.

Estuvo un mes en casa. Comía papillas de bebé y robaba caramelos. En plena noche se despertaba y quería jugar al ajedrez o se peleaba con mi abuelo muerto hacía cuarenta años. A veces intentaba alguna fuga hacia la playa, pero se le enredaban las piernas antes de llegar a la escalera.

Al final, dijo:

—Ahora, ya me puedo morir.

Me dijo que no iba a morirse en España. Quería evitarme los líos burocráticos, el traslado del cuerpo y todo eso: dijo que ella bien sabía que yo odiaba los trámites.

Y se volvió a Montevideo. Visitó a toda la familia, casa por casa, pariente por pariente, para que todos vieran que había regresado de lo más bien y que el viaje no tenía la culpa. Entonces, a la semana de llegar, se acostó y se murió.

Los hijos echaron sus cenizas bajo el árbol que ella había elegido.

A veces, la Abuela viene a verme en sueños. Yo camino al borde de un río y ella es un pez que me acompaña deslizándose, suave, suave, por las aguas.

La fiesta

ESTABA suave el sol, el aire limpio y el cielo sin nubes. Hundida en la arena, humeaba la olla de barro. En el camino de la mar a la boca, los camarones pasaban por las manos de Zé Fernando, maestro de ceremonias, que los bañaba en agua bendita de sal y cebollas y ajo.

Había buen vino. Sentados en rueda, los amigos compartíamos el vino y los camarones y la mar que se abría, libre y luminosa, a nuestros pies.

Mientras ocurría, esa alegría estaba siendo ya recordada por la memoria y soñada por el sueño. Ella no iba a terminarse nunca, y nosotros tampoco, porque somos todos mortales hasta el primer beso y el segundo vaso, y eso lo sabe cualquiera, por poco que sepa.

Las huellas digitales

YO nací y crecí bajo las estrellas de la Cruz del Sur. Vaya donde vaya, ellas me persiguen. Bajo la cruz del sur, cruz de fulgores, yo voy viviendo las estaciones de mi suerte.

No tengo ningún dios. Si lo tuviera, le pediría que no me deje llegar a la muerte: no todavía. Mucho me falta andar. Hay lunas a las que todavía no ladré y soles en los que todavía no me incendié. Todavía no me sumergí en todos los mares de este mundo, que dicen que son siete, ni en todos los ríos del Paraíso, que dicen que son cuatro.

En Montevideo, hay un niño que explica:

—*Yo no quiero morirme nunca, porque quiero jugar siempre.*

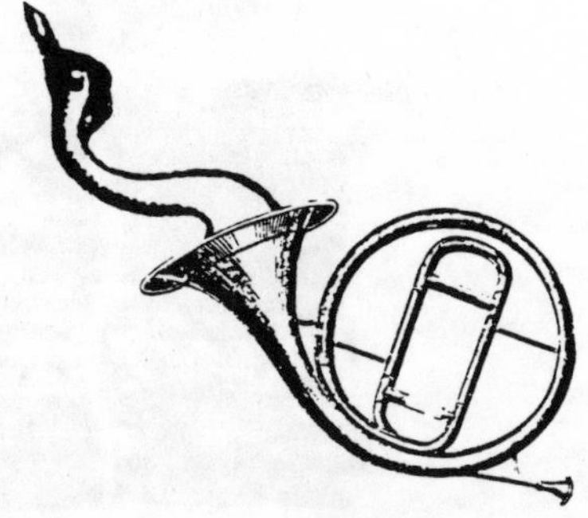

El aire y el viento

POR los caminos voy, como el burrito de San Fernando, un poquito a pie y otro poquito andando.

A veces me reconozco en los demás. Me reconozco en los que quedarán, en los amigos abrigos, locos lindos de la justicia y bichos voladores de la belleza y demás vagos y mal entretenidos que andan por ahí y por ahí seguirán, como seguirán las estrellas de la noche y las olas de la mar. Entonces, cuando me reconozco en ellos, yo soy aire aprendiendo a saberme continuado en el viento.

Me parece que fue Vallejo, César Vallejo, quien dijo que a veces el viento cambia de aire.

Cuando yo ya no esté, el viento estará, seguirá estando.

La ventolera

SILBA el viento dentro de mí.

Estoy desnudo. Dueño de nada, dueño de nadie, ni siquiera dueño de mis certezas, soy mi cara en el viento, a contraviento, y soy el viento que me golpea la cara.

índice

El mundo 1
El origen del mundo 2
La función del arte/1 3
La uva y el vino 4
La pasión de decir/1 5
La pasión de decir/2 6
La casa de las palabras 7
La función del lector/1 8
La función del lector/2 9
Celebración de la voz humana/1 10
Celebración de la voz humana/2 11
Definición del arte 12
El lenguaje del arte 13
La frontera del arte 14
La función del arte/2 16
Profecías/1 19
Celebración de la voz humana/3 20
Crónica de la ciudad de Santiago 21
Neruda/1 24
Neruda/2 25
Profecías/2 26
Celebración de la fantasía 27

El arte para los niños.. 28
El arte desde los niños.. 29
Los sueños de Helena.. 30
Viaje al país de los sueños.. 31
El país de los sueños.. 32
Los sueños olvidados.. 33
El adiós de los sueños.. 34
Celebración de la realidad.. 35
El arte y la realidad/1.. 37
El arte y la realidad/2.. 38
La realidad es una loca de remate.. 39
Crónica de la ciudad de La Habana.. 40
La diplomacia en América Latina.. 42
Crónica de la ciudad de Quito.. 44
El Estado en América Latina.. 47
La burocracia/1.. 48
La burocracia/2.. 49
La burocracia/3.. 50
Sucedidos/1.. 52
Sucedidos/2.. 54
Sucedidos/3.. 56
Nochebuena.. 58
Los nadies.. 59
El hambre/1.. 60
Crónica de la ciudad de Caracas.. 62
Avisos.. 65
Crónica de la ciudad de Río.. 66
Los numeritos y la gente.. 67
El hambre/2.. 69
Crónica de la ciudad de Nueva York.. 70
Dicen las paredes/1.. 71
Amares.. 72
Teología/1.. 74

Teología/2 75
Teología/3 76
La noche/1 78
El diagnóstico y la terapéutica 79
La noche/2 80
Los llamares 81
La noche/3 82
La pequeña muerte 83
La noche/4 84
El devorador devorado 85
Dicen las paredes/2 87
La vida profesional/1 88
Crónica de la ciudad de Bogotá 89
Elogio del arte de la oratoria 91
La vida profesional/2 92
La vida profesional/3 94
Mapamundi/1 95
Mapamundi/2 96
La desmemoria/1 97
La desmemoria/2 98
El miedo 99
El río del Olvido 100
La desmemoria/3 102
La desmemoria/4 103
Celebración de la subjetividad 106
Celebración de las bodas de la razón y el corazón 107
Divorcios 109
Celebración de las contradicciones/1 110
Celebración de las contradicciones/2 111
Crónica de la ciudad de México 112
Contrasímbolos 113
Paradojas 114
El sistema/1 117
Elogio del sentido común 118

Los indios/1 119
Los indios/2 120
Las tradiciones futuras 121
El reino de las cucarachas 122
Los indios/3 124
Los indios/4 126
La cultura del terror/1 128
La cultura del terror/2 129
La cultura del terror/3 130
La cultura del terror/4 131
La cultura del terror/5 132
La cultura del terror/6 134
La televisión/1 136
La televisión/2 137
La cultura del espectáculo 138
La televisión/3 140
La dignidad del arte 141
La televisión/4 142
La televisión/5 143
Celebración de la desconfianza 144
La cultura del terror/7 145
La alienación/1 146
La alienación/2 147
La alienación/3 148
Dicen las paredes/3 151
Nombres/1 152
Nombres/2 153
Nombres/3 154
La máquina de retroceder 156
La pálida 157
La mala racha 158
Onetti 159
Arguedas 160
Celebración del silencio/1 161

Celebración del silencio/2 162
Celebración de la voz humana/4 163
El sistema/2 164
Celebración de las bodas de la palabra y el acto 165
El sistema/3 166
Elogio de la iniciativa privada 167
El crimen perfecto 169
El exilio 170
La civilización del consumo 172
Crónica de la ciudad de Buenos Aires 174
La querencia/1 176
La querencia/2 179
El tiempo 180
Resurrecciones/1 181
La casa 182
La pérdida 183
El exorcismo 184
Los adioses 185
Los sueños del fin del exilio/1 186
Los sueños del fin del exilio/2 187
Los sueños del fin del exilio/3 188
Andares/1 190
Andares/2 191
La última cerveza de Caldwell 192
Andares/3 194
Dicen las paredes/4 195
Envidias del alto cielo 196
Noticias 197
La muerte 199
Llorar 202
Celebración de la risa 203
Dicen las paredes/5 204
El vendedor de risas 206
Yo, mutilado capilar 208

Celebración del nacer incesante 209
El parto 210
Resurrecciones/2 211
Resurrecciones/3 212
Los tres hermanos 213
Las dos cabezas 214
Resurrecciones/4 215
La maromera 216
Las flores 218
Las hormigas 219
La abuela 220
El abuelo 221
Fuga 223
Celebración de la amistad/1 225
Celebración de la amistad/2 227
Gelman 229
El arte y el tiempo 230
Profesión de fe 231
Cortázar 233
Crónica de la ciudad de Montevideo 234
La alambrada 237
El cielo y el infierno 239
Crónica de la ciudad de Managua 240
El desafío 242
Celebración del coraje/1 243
Celebración del coraje/2 244
Celebración del coraje/3 246
Celebración del coraje/4 248
Un músculo secreto 250
Otro músculo secreto 252
La fiesta 254
Las huellas digitales 255
El aire y el viento 257
La ventolera 258

Se terminaron de imprimir, 8000 ejemplares
en el mes de junio de 2008,
en Artes Gráficas Candil
sito en la calle Ing. Estévez 2184, Buenos Aires
Tel/fax: 4918-6426 e-mail: agcandil@ciudad.com.ar